La balada de María Abdala

Seix Barral Biblioteca Breve

Juan Gossaín
La balada de María Abdala

Diseño colección:
    Josep Bagà Associats

    Primera edición: julio de 2003
    Segunda edición: julio de 2003

©   2003 Juan Gossaín
©   2003 Editorial Planeta Colombiana S. A.
        Calle 21 N.º 69-53, Bogotá

    ISBN: 958-42-0660-5
    Impreso por D'vinni Ltda.

Hay que quitarle al olvido lo que se está llevando.

A mi mujer, crítico implacable y voz de aliento, compañera de viaje en esta aventura y biznieta bastarda de Venturolli.

Como una bandada de aves sorprendidas,
sobre mí se abaten todos mis recuerdos.

PAUL VERLAINE

La memoria es ahora como las ramas secas:
cadáveres de nombres, pedazos de recuerdos.
La ceniza,
que vuela entre la brisa,
ya no es rescoldo. Fría
y vieja fotografía,
retazos de gentes y lugares. Piltrafas de la vida.

Hay que rescatar las piezas
perdidas
del rompecabezas.

Restos de evocaciones, migajas,
añoranzas
por la gente que pasa.
Volver a tejerlos:
la memoria es el hilo.

Aquellos olores extraviados,
el humo de la leña
y la tierra caliente apelmazada por la lluvia.

Rostros y sitios, colores y voces
en las garras feroces
del olvido.

1

LA MUERTE

Mi madre empezó a morirse el viernes a la una de la tarde. Aunque los muertos no tenemos noción del tiempo —ni falta que nos hace—, supe que estamos en diciembre al ver la claridad del mediodía que entra a raudales por los tragaluces del baño. Supe también que es la una de la tarde porque el aire tiene la fragancia inconfundible de la leña verde del almuerzo y su humo espeso. Supe, en fin, que hoy es viernes, porque acabo de oír el caballo blanco del compadre Jacinto Negrete que caracolea en el patio. Se desmontará con el salto garboso que le permite su vejez atlética, apoyando un pie en el estribo, y después habrá de amarrarlo bajo la sombra coposa del palo de mango. La misma ceremonia ritual de todos los viernes, desde que existe el mundo, al pie de los célebres mangos de masa que Simón Neri había traído en la emigración de su aldea de Raipur, cerca de Bombay, en la India, y se pueden cortar en redondo, por la cintura, como un aguacate, y separar en dos mitades iguales porque no tienen fibras ni dejan hilachas entre los dientes y su carne amarilla recuerda más al durazno maduro que a los mangos comunes. Mi madre rellenaba la oquedad de los mangos con el helado de canela de la señora Baldé o con jalea de piña y los servía de postre en el almuerzo familiar de los sábados. Los mangos son el pasado. La muerte es el presente. Mi madre se está apagando.

El primer muerto de la familia fui yo. Una tarde de agosto, hace diez años, un toro cimarrón que tenía una estrella blanca en la frente me empitonó en la corraleja que levantaron en la plaza para celebrar las fiestas patronales. Me suspendió con el cuerno por la pretina del pantalón, me lanzó al aire polvoriento, caí de espaldas al suelo, me puso la pezuña en el pecho y me desprendió el corazón. A pesar de los vértigos de la borrachera recuerdo con fidelidad, porque los muertos gozamos de buena memoria, que lo último que escuché fue el griterío de espanto de la gente y el sonido atronador del clarinete de la banda de músicos que tocaba el porro dedicado a Roque Guzmán. Antes de cerrar los ojos en tres parpadeos consecutivos, vi también un rayo de sol anaranjado que atravesaba las nubes y me amortajó la cara.

Ahora que he vuelto a la casa de mis mayores, diez años después, siento que la brisa huele a cebollas fritas y trigo amasado con hierbabuena. Encuentro cada cosa en el sitio donde la había dejado, aunque un poco más vieja. «El tiempo no pasa en balde», solía decir mi madre, con un suspiro de añoranzas, a medida que iba envejeciendo. Mi padre tiene ahora surcos en la frente, se le cayeron las últimas guedejas que le quedaban en la cabeza y se le ha encanecido el bigote de sultán otomano, que en tiempos mejores se atusaba con gomina y lavanda. En su caso el mostacho no fue nunca un emblema de la vanidad masculina, como la redecilla del moño de mi madre lo era de su orgullo femenino, sino una pieza sustancial del organismo, al igual que los pulmones o las costillas. La casa tiene algunas peladuras. El invierno ha trazado un dibujo húmedo en el cielorraso. No queda ni rastro del palomar que yo mismo construí junto al corral de las gallinas. Al rancho de la cocina le cambiaron las tejas hendidas por el sol, aunque las tres piedras del fogón se hallan en su lugar de siempre, al lado de la olla para el sancocho y la rinconera donde se guarda la leña. Las ramas de los árboles están tostadas por la sequía que aprieta en esta época del año. El matarratón, sembrado por mi madre, se está muriendo con ella.

Mi padre convocó en silencio la presencia de todos sus hijos, el muerto y las vivas, desde hace una semana, cuando se hizo evidente que mi madre estaba entrando en un desfallecimiento lento y tranquilo. En realidad, parece que estuviera en reposo: de medio lado, la mano puesta entre la cabeza y la almohada, tal como se acostaba a la hora de hacer la siesta. La estamos velando en el baño, no sólo

15

porque ese es el lugar donde vivió los últimos años de su vida, desde la muerte de la santa, y allí dormía y almorzaba, sino también porque el baño es el recinto más amplio y más cómodo de la casa, y en él hay capacidad suficiente para la concurrencia que llegará llorando a la hora del tránsito.

Frente a la cama, una vela blanca arde en el candelabro. Su llama inmóvil, aturdida por el calor, crepita de vez en cuando con pequeñas chispas amarillas. Volando en el espacio, yo pienso que en cualquier momento puede desatarse un incendio, pero me entretengo mirando la llama que crece en la humedad sofocante del baño.

Mis hermanas, de pie, alineadas de mayor a menor, como si el señor Pinto fuera a venir a tomarles una fotografía, tienen puestos los vestidos de organdí rosado de las grandes ocasiones fúnebres o festivas. Desde mi estancia invisible, pienso que son muy útiles esos trajes que sirven para todo. Mi padre está sentado en el último rincón, junto al sanitario, discreto como ha sido toda su vida, extraviado en su propio contorno, con sus ojos de aspecto distraído, preocupado de no convertirse en un estorbo ni captar la atención de nadie. La camisa de dril, de mangas muy anchas para su peso, parece más oscura por los lamparones de sudor en las axilas. Mi padre es un niño desorientado. Desde su vieja butaca de cuero cuarteado mira sin espabilar a un punto fijo de la pared. Reconstruye en silencio, con la única ayuda de su corazón, los recuerdos más antiguos de la vida, empezando por el primero, aquella madrugada tempestuosa en que llegó de sus valles del Líbano, luego de atravesar medio mundo, a este pueblo que se levanta en la barranca del río, a la espalda de un mar que burbujea de calor. De repente, acorralado por la nostalgia, se pone a silbar entre el silencio del baño una canción árabe aprendida en su adolescencia. Mi madre, que lo alcanza a escuchar mientras se va hundiendo en el fango inmóvil de la muerte, abre los ojos por un instante fugaz y reconoce la melodía, la misma que él le cantaba bajo los luceros, cuando dormían a campo traviesa, donde los agarrara la noche, con el cielo por techo, viajando de pueblo en pueblo, en sus tiempos felices de vendedores ambulantes, hasta que una tempestad le echó encima la mula en un desfiladero, se rompió ambos brazos y mi padre tuvo que ayudarla a hacer sus necesidades mayores entre la maleza. A partir de entonces decidieron afincarse en el pueblo, abrieron su tiendecita de cachivaches y no volvieron jamás a las correrías.

Mi madre mueve los labios, pero no puede articular palabra y se contrae en una leve sonrisa de complicidad. Con la mirada desobediente que tienen los moribundos, busca la canción en algún lugar del baño, la persigue en el aire y encuentra su procedencia.

Contrariando su costumbre eterna de distraerse en meditaciones abstractas y en la vida contemplativa, obligado a ello por la cercanía de la muerte y por los últimos aletazos del amor, que son todavía más duraderos que la muerte y aguijonean los sentidos, mi padre comprendió el mensaje, comprendió que ella también estaba rastreándolo en los últimos suspiros, y comprendió además que había llegado la hora de la despedida. Se levantó de la butaca y fue a su lado. Recogió el borde de la sábana de lino, se sentó junto a su mujer, le besó el matorral de pelo blanco humedecido por el sudor de la fiebre, jugueteó con su mano huesuda entre las suyas, que eran más huesudas, le acercó los labios al oído y canturreó con una vocecita dulce y cristalina, la voz de un hombre indefenso, temblorosa por el dolor:

Ma fi jada,
ma fi jada,
wéino habibi elb.

—Adiós, compañera —le dijo en castellano.

Se incorporó de nuevo y miró a sus hijas, que lo seguían con la vista. A mí no podía verme, aunque yo estaba a dos palmos de su cara y estuvo a punto de tropezar conmigo. Las miró una por una con su mirada de siempre, detenida, pausada, la misma mirada de poeta con que miraba los astros en la alta noche, y tarareó la traducción de su canto en un revoltillo de árabe y español:

Ya no tengo compañera,
ya no tengo compañera,
ya no tengo quien me quiera.

Un rayo de luz hiriente entró por la ventana más grande del baño. Los restos de polvo que volaban en el viento y la llama de la veladora quedaron atrapados en la luz.

En el rincón más alejado de la puerta está la repisa de tablas en que mi madre ponía sus santos para rezarles el rosario de la aurora. El primero en la formación es un San José de yeso que le regalaron el día de su matrimonio, hace ahora sesenta años, con una ramita de azahares en una mano y un escoplo de carpintero en la otra. Le faltan dos dedos que se perdieron la noche del incendio de marzo, que arrasó medio pueblo. A sus pies yace una corona de espinas que mi padre había tejido con las ramas del árbol de granadas que crece en el comedor del patio. Cuando yo estaba vivo me sacaban en las procesiones de Semana Santa vestido de nazareno, con una túnica violeta, sandalias polvorientas de peregrino, una cruz de madera al hombro y aquella corona de espinas que me hacía sangrar la frente. La misma túnica serviría ocho meses después para que me disfrazaran de pastor en las novenas callejeras de diciembre.

Al lado de San José, en la pared veteada por las flores de moho de la lluvia, mi madre pegó con almidón de yuca la litografía desgarradora de la muerte del justo y el cuadro descolorido en que aparece una muchacha rolliza tañendo la mandolina en una barca cargada de claveles. En el ámbito fantasmal de los altares, la lámpara parpadea sobre las once mil vírgenes, una por una, y proyecta su sombra en el piso. El aire de la habitación tiene el olor mortecino y almibarado de las flores de cementerio, ese olor enfermizo que lo persigue a uno dondequiera que vaya, el olor empalagoso de los lirios que mi padre siembra en el jardín.

El santo con la cara empolvada, la piel de cera de mi madre, la vela que titila en una agonía lenta, el aroma de los lirios, el moribundo que boquea en el retrato, la melancolía de mi padre y la quietud hierática de mis hermanas me dan ganas de llorar, pero los muertos no lloran. En cambio el compadre Jacinto Negrete no pudo controlar dos lagrimones salados que le corrían mejilla abajo. Después de amarrar el caballo y desensillarlo, pasó por la terraza de las mecedoras, como hacía cada viernes, pero esta vez no arrancó un manojo de flores anaranjadas de caléndula, la planta de la maravilla, para llevárselo a mi madre y ponerlo en su regazo, con el fin de que ella pudiera comprobar que las flores que se regalan con amor van cambiando de colores a medida que avanza el día. Hizo sonar en el cemento las espuelas de sus polainas embarradas, para anunciar su presencia, y se detuvo en el marco de la puerta, cubriendo todo el espacio del baño con su corpulencia de bestia en reposo, que no dejaba entrar la luz metálica del mediodía. Se quedó en la misma posición erguida y altanera de un soldado que está rindiendo sus armas al enemigo. Dos alforjas de cuero, tachonadas de dientes de tiburón, le colgaban del hombro.

En ese momento, observándolo desde el vacío sin límites donde vivimos los muertos, pensé que Jacinto Negrete se parecía a una de sus propias fieras, con las que peleaba a dentelladas el dominio de su territorio, montaña adentro. No tenía mujer ni hijos, «ni perro que me ladre», como le gustaba decirle a todo el que tuviera oídos para oírlo. Él mismo lavaba sus dos mudas de ropa con un manduco de mangle a la orilla de una acequia. Las lavaba y las ponía a secar al sol, pero no las planchaba nunca, porque decía que esas eran mariconerías impropias de un hombre verdadero. A veces resultaba cómico verlo andar con el cuello de la camisa vuelto al revés o con los bolsones que se le formaban en las nalgas del pantalón. Pero nadie en este mundo se reía de Jacinto Negrete. Nadie, excepto mi madre. «Con esa ropa, compadre, usted me recuerda al mosquetero de la caja de condimentos», le dijo cierta vez, muerta de risa, cuando lo vio entrar el viernes por la puerta del patio. Fue la única mujer con la que Jacinto Negrete pudo entablar un pedazo de conversación en su vida y la única persona a la que le toleraba esas chanzas. «Es que mi comadre es más jodida que yo», respondió la ocasión aquella en que mi padre cruzó unas palabras con él. Mi padre torció la cara al escuchar la palabrota. Era un hombre frágil y asustadizo. Ella le tenía físico miedo porque decía, con su voz de murmullo apenas perceptible, que Jacinto Negrete tenía que haber sido un animal de presa en una vida anterior. «Un animal de monte, feroz y sanguinario», musitaba al verlo llegar al patio, cabalgando en su caballo blanco, con el machete en la mano y perseguido por una emanación de hierba mojada y de boñiga fresca.

Jamás hubo entre ellos ningún compadrazgo ni bautismo de criatura alguna, pero el día de 1923 en que mi madre llegó con su mula cargada de chucherías a venderle la primera camisa con botones, él se dispuso a pagar y sacó de la faltriquera una morrocota de oro.

—¿Cómo es su gracia, niña? —le preguntó sin gentileza, mirándola a los ojos y extendiéndole la moneda.

—María —respondió ella, con una rudeza similar, y mirándolo a los ojos—. María Abdala de Abdala, para servirle a usted.

Fue la única vez que alguien vio sonreír a Jacinto Negrete, desde el día en que su madre lo parió y hasta el día en que la manigua habría de tragárselo para siempre.

—¿Y eso cómo es que se pronuncia, comadre? —le dijo él.

—Como usted quiera, compadre —replicó ella, devolviéndole la burla.

Desde entonces se llamarían compadres por el resto de la existencia, a lo largo de sesenta años completos, todos los viernes, cuando él bajaba a San Bernardo del Viento a comprar pólvora, sal gruesa y gas para los mechones con que iluminaba la penumbra de la montaña, y después, sin saludar a nadie, se sentaba a conversar con ella y a tomar el fresco de la tarde en las mecedoras del corredor, y compadres serían hasta la hora del último estertor, que mi madre está exhalando en este instante. «Somos compadres porque nos miramos de frente y a la pepa del ojo», respondía mi madre cuando alguien le mencionaba aquella insólita forma de las relaciones entre una mujer extranjera, casada y con cuatro hijos, y ese potro indómito que vivía en la espesura, hasta que Mayito Padilla, la lengua viperina más afilada del pueblo, echó a caminar el rumor de que no sólo eran amigos sino amantes platónicos. El viernes lluvioso en que mi madre le explicó lo que significaba esa expresión, Jacinto Negrete sintió un ardor en las mejillas atezadas por el sol y el viento del verano. «Qué más quisiera yo», musitó él, ladeando la mirada, con un suspiro tembloroso que no se parecía a su afamado vozarrón de centella. Fue la única vez que no la miró a los ojos. «Ni usted ni nadie le da por los tobillos a mi marido», dijo ella, con un énfasis que no admitía discusiones. Ese día no se llamaron compadres y más nunca volvieron a ocuparse de tales asuntos.

Ahora lo veo en la puerta del baño, de pie, con las piernas arqueadas para darle un punto de apoyo a su corpulencia, y recuerdo el pánico que su olor montaraz le infundía a mi padre. Se ha descubierto la cabeza y tiene el sombrero de concha de árbol apretado contra el pecho, en señal de respeto por su comadre agonizante. Con más tristeza que asombro descubro que el paso de los años le ha vuelto el pelo entrecano, pero todavía abundante, hirsuto y grueso, revuelto, cabello indócil, como una alambrada de púas. La nariz aguileña y recta, de vela de buque, y la prominencia de los pómulos, son el signo evidente de su hombría, pero no ayudan a suavizar la aspereza de sus rasgos tallados a navaja ni a darles un soplo de ternura.

Como todos los viernes, antes de llegar a mi casa, se ha hecho algunos repiques superficiales en el bigote corto y arisco, con el cuchillo que usa para descuartizar las vacas. Hay algo de máscara antigua en su cara. El único indicio de su dolor es el ceño fruncido que trata de evitar más lágrimas. Porta el hierro de marcar las reses como si fuera una espada, colgado del ancho cinturón con remaches que le regaló un domador de circo, el marido de Amalia Patri, la trapecista italiana que hacía contorsiones en la carpa de la plaza, frente a la vieja iglesia de madera que fue derrumbada por el huracán que destruyó también la cosecha de arroz y los ranchos más pobres de la orilla del río.

Cazador de tigres, amansador de potros, colonizador de selvas, Jacinto Negrete caminaba con la movilidad sinuosa del agua y tenía un porte mediano y compacto, de complexión rolliza, mandíbulas cuadradas y mentón anguloso en el que se distinguía la sombra azul de la barba. Su imponencia no inducía a engaños: capaba un toro o podaba las ramas más agrestes de los árboles con la fuerza de sus manos, pero aun así no le quedaba ni una sola cicatriz en todo el cuerpo, salvo el arañazo profundo que le hizo en la espalda la espina de una rosa. Por esa misma época se dedicó a la captura de un onagro, el burro salvaje con cara de tigre y cuerpo de yegua, una especie de centauro de carga que se había extinguido en la región desde los tiempos de la piratería inglesa.

Ya he dicho que los muertos no lloran, pero saben sonreír. En mi rincón del baño no puedo reprimir una carcajada festiva e inoportuna, poco apropiada para lo que está pasando, porque acabo de recordar la ocasión aquella en que mi madre lo obligó, como si fuera un niño, a que conociera el mar, que quedaba a cinco leguas de distancia, al otro extremo del río, por el camino real de los misioneros españoles que fundaron el pueblo después del naufragio.

Era un domingo plateado de agosto y las mujeres pasaban en sus burros, vendiendo chuletas de cerdo en los caseríos de la playa. Picadas por la curiosidad, a la espera de lo que debería ser un estallido de asombro, las mujeres detuvieron la marcha y rodearon en silencio al hombre impávido que tenía la vista perdida en el horizonte. Así estuvo, sin musitar la más mínima palabra, aunque el salitre que volaba con el viento le salpicó la cara. Ni siquiera parpadeó. Después giró sobre sus tacones enterrados en la arena, se encaró con mi madre, la miró a los ojos y le dijo, con una ráfaga de decepción en la voz:

—Yo creía que el mar era más grande, comadre.

Con la mayor desfachatez se fue quitando la ropa, el cinturón de trapecista, las botas peladas por el cobre de los estribos, el pantalón de lona cruda, hizo en la arena caliente un promontorio que coronó con su sombrero, y quedó desnudo como un recién nacido porque jamás en su vida se había puesto calzoncillos. Mi madre le descubrió entonces la cicatriz de la rosa. Luego entró al mar de una brazada, pero antes se echó

25

la bendición con la mano izquierda, y nadó jugueteando con la felicidad de una ballena hasta los acantilados que rodean la bahía de Pasonuevo.

Retozó como un niño, tragó el agua salobre que lo hizo toser con una espiración brusca, convulsiva y sonora, y se sintió maravillado con el mundo en movimiento que estaba descubriendo a su alrededor. Vio una tortuga centenaria de ojos adormecidos y pensó que los ojos de las tortugas son idénticos a los de una mujer. La profundidad transparente estaba empedrada de corales rojos como la sangre. Sacó la cabeza del agua, para retomar aire, y vio que sobre él volaba una formación de flamencos rosados de patas largas y pescuezos insolentes. En la superficie que parpadeaba bajo la luz, el mar era de un color verde claro que se iba volviendo azul intenso a medida que se alejaba hacia el horizonte. Todo ese universo de prodigios desapareció de pronto. Quedó cegado por los resplandores del sol que espejeaba entre el agua. «El mar es la prueba de que Dios existe», se decía para sus adentros, pasmado de alegría, cuando un tiburón adolescente lo atacó por el flanco, con un sigilo ladino. Jacinto Negrete tenía, sin embargo, el olfato perrero de los cazadores viejos, además del instinto que le permitía husmear en el viento de cualquier espesura el olor de óxido de la sangre, rastrear la huella de una garra en el rastrojo y vadear las cañadas más torrentosas por el lado en que no hubiera abismos traicioneros ni bejucos carnívoros. Por eso presintió la presencia del enemigo entre la espuma lechosa que lo rodeaba. Dio una voltereta en el agua y encontró con los suyos los ojitos rojizos del animal y sus fauces voraces. Salió a flote con el corazón batiéndole, con un resuello de asmático y los ojos despepitados, pero el tiburón lo siguió con porfía sobre la cresta de la ola y le mandó la primera tarascada. Alcanzó a oír el golpe de acero de las mandíbulas al cerrarse. Calculó la distancia a que estaba la playa, divisó a lo lejos la silueta de los cocoteros y los caballetes de palma de las primeras casas, y confirmó, para mal de sus pecados, que no había escapatoria. Supo que tendría una sola oportunidad y se arqueó sobre la espalda para reconcentrar en el brazo derecho la fuerza de terremoto con que derribaba un cebú por el rabo. Tuvo un recuerdo postrero de la comadre que lo estaba esperando para almorzar. Le lanzó el golpe, más asustado que furioso, y lo mató de una trompada certera en la cruz de la frente. A partir de aquel día, echando mano de sus libros polvorientos de biología marina, mi padre intentaba explicarles a los vecinos de San Bernardo del Viento las técnicas sencillas que permiten matar un tiburón joven de un solo golpe, pero nadie le prestó atención. «Está celoso», decía Mayito Padilla, a escondidas, y con una inconfundible modulación de mala índole.

—El mar es mejor por debajo que por encima —le dijo a mi madre cuando volvió a tierra, arrastrando el cadáver del tiburón, respirando con anhelo y chorreando agua por la entrepierna. Las mujeres sonreían sin quitarle la vista de malhaya sea la parte.

—Si quiere, compadre, mando a traer una toalla de mi casa —le dijo ella, mirándolo a la cara más que nunca, evitando con firmeza las tentaciones del demonio.

—Para eso inventaron la brisa —respondió él y aguardó bajo las palmeras a que el viento lo secara. Desde entonces llevaría los colmillos del tiburón como un trofeo de cacería en el forro de las alforjas.

Cuando las vendedoras de carne me contaron aquella historia, yo pensé que mi padre tenía suficientes motivos para decir lo que decía de ese hombre, que Jacinto Negrete estaba empautado con el diablo o era hijo de una pantera del monte. Pero ahora tengo que rectificar mis opiniones, porque lo estoy viendo en la puerta del baño, desvalido y lloroso, herido por la pesadumbre, envejecido de repente, la barbilla en los temblores del llanto, los dos lagrimones salados que ya van a entrarle a la boca.

Desde el fondo de la butaca mi padre lo mira de frente, a los ojos y sin soslayos, y yo descubro en su mirada mansa que por primera vez en la vida no le infunde miedo, sino lástima. Después de sesenta años de suspicacias y rencores secretos, de angustias sin justificación y mensajes insidiosos, aquel gigante lastimero, que le recordaba a un pollito extraviado en la lluvia, ya no es su rival imaginario sino su compañero para compartir el mismo dolor. Los dos lloraban a la misma mujer y ambos sentían una igual sensación de desamparo. «La bestia de presa es tan vulnerable como yo», se dijo mi padre, y sintió una vergüenza que le arrugaba el corazón y se le subía a la cara.

—Mírenme bien —exclamó de súbito, rompiendo el silencio húmedo del baño. Mi padre y mis hermanas lo miraron. Yo también. El soplo tormentoso de su voz hizo tiritar la llama de los cirios.

—Mírenme bien —repitió—, porque esta es la única vez que han visto llorar a Jacinto Negrete.

Guardó silencio. Se secó las lágrimas con la manga de la camisa de cañamazo que mi madre le había vendido en el invierno pasado, aspiró con un zumbido de borrasca sus propios mocos revueltos con el aire oloroso a flores de muerto, entrechocó los talones y se fue por donde había venido. «Ahora seguimos nosotros», piensa mi hermana, la mayor, con la mirada fija en la ancha espalda de Jacinto Negrete que se aleja por la terraza, meciéndose sobre las piernas, con un vaivén de hamaca, como caminan los jinetes cuando se bajan del caballo, los marineros en el puerto y los pájaros en tierra, enredándose en sus patas. «Cuando se muere la madre, la muerte no sólo nos golpea en el centro del corazón. También nos está avisando que es hora de prepararse porque a partir de ahora viene por nosotros. Ya se ve venir. Me invade una mezcla de dolor y miedo. Ya no hay una generación intermedia que nos separe de la muerte. Los próximos en esa fila somos nosotros. El siguiente turno es el nuestro».

Nunca más volvieron a saber de él por los rumbos de San Bernardo del Viento. El último recuerdo que conservo del compadre Jacinto Negrete, aquí en el espacio infinito donde deambula mi espíritu, es el tintineo de sus espuelas de plata contra el cemento del piso. Sin embargo, yo sé que a partir de ahora, aunque haya pasado un milenio de estos acontecimientos, y cuando mi madre ya no sea más que unos cuantos huesitos blanqueados bajo la ceiba umbrosa del cementerio de San Bernardo del Viento, los muertos nuevos que lleguen del pueblo preguntarán por mí para decirme que desde el día en que la enterraron, así haya sequía o inundaciones, aunque se apague el canto de la brisa entre los árboles y se tueste la hiedra del patio, y aunque Mayito Padilla siga diciendo que si no fueron amantes ganas no les faltaron, a la una en punto de la tarde de todos los viernes un caballo blanco sin jinete pasa piafando bajo la puerta del patio de la que fue su casa. La cincha del caballo, que lleva puesto el recado de montar, es un cinturón con hebillas y redoblones de hierro. El cinturón de un domador de circo.

Yo, que soy apenas una exhalación, salí del baño navegando en la parte sólida de la luz de diciembre, pero antes de trasponer la ventana agité la mano para decirle adiós a lo que quedaba de mi familia y vi que mi padre tenía los ojos arrasados en lágrimas. Afuera se notaba que era mediodía de verano. En la calle principal, un remolino de tierra y hojas resecas daba vueltas en redondo, con un ruido ronco, como si el diablo estuviera merodeando. El pueblo, envuelto en la telaraña del calor, parecía más igual que diez años atrás, cuando me fui a reposar en los peladeros donde vive la muerte. Lo único que no pude reconocer fue la casa de la señora América, porque la habían pintado de verde y demolieron la habitación en que mataron al hombre que tocaba el violín. Al fondo de la calle, el río gorgoriteaba a causa de la sofocación y la brisa caliente respiraba entre el follaje.

En el patio de mi tía Filomena, una mujer estaba rallando el coco para el arroz del almuerzo. En ese preciso instante murió mi madre. Lo supe sin la más mínima sombra de duda porque varias señales me lo anunciaron. La armonía del universo se paralizó de repente. El remolino de la calle se detuvo y el río parecía un espejo, no porque fuera diáfano, que no lo había sido nunca y más bien era pastoso como el chocolate del desayuno, sino porque el agua estaba quieta, como si también se hubiera muerto o estuviera dormida, y no corría en ningún sentido, ni para arriba ni para abajo. Las canoas ancladas en la orilla dejaron de cabecear. La vela del baño hizo un chisporroteo final, un quejido de sollozo, y se apagó. La brisa se extinguió en un hálito clarividente entre las buganvilias, los pájaros que mi padre criaba en las jaulas dejaron de trinar, la resolana de diciembre se volvió opaca y de un color ambarino, como si fuera un atardecer de invierno, y los gallos de pelea de Salomón Behaine, confundidos por la súbita oscurana, creyeron que ya era de madrugada y se pusieron a cantar de una manera sobrecogedora, sin vocales y sin concierto, con una tristeza que erizaba la piel, como yo no los había oído cantar nunca antes, ni siquiera a la hora de mi propia muerte, y como no volverían a cantar jamás en la vida.

Los perros, asustados por el diablo del torbellino que seguía dando vueltas en la calle, huían despavoridos con el rabo entre las patas, aullando. De la enredadera que mi padre había sembrado sobre la paredilla del patio se desprendieron al mismo tiempo todas las flores, mezcladas las amarillas con las rojas, las azules y las blancas, y cayeron al piso sin prisa, pero antes de caer giraban enloquecidas en el aire. Todas quedaron de pie, con los pétalos hacia arriba, y yo sabía que una mano invisible las estaba ordenando sobre la hierba, la misma mano que las regaba cada mañana con agua de rocío y las podaba con amor en las noches de luna menguante, la misma mano que ahora yacía yerta en la almohada blanca, con un rosario de cuentas nacaradas entre los dedos.

Cuando cayó la última flor vi pasar el espíritu de mi madre, rumbo al cielo, junto al parral del que ella cortaba las hojas verdes y jugosas para cocinar los envueltos de carne molida con arroz que a mí tanto me gustaban. Me sonrió con mansedumbre, no con la sonora carcajada de reguero de frutas que había tenido toda su vida, sino con la risita tímida que tiene la gente cuando se acaba de morir y empieza a encontrarse con sus propios muertos.

—Estás más flaco —me dijo, con una voz sin asperezas, como el gorjeo de los pájaros que ahora estaban volviendo a cantar.

—Hola, mamá —le dije—. ¿Ya está el almuerzo?

2

EL FANTASMA

Ahora que mi propia muerte me ha dado tiempo y tranquilidad de sobra, he revisado tanta correspondencia amarillenta, he mirado tantas fotografías de seres perdidos en los recovecos de la vida, he recorrido tantos caminos en busca de testigos que recordaran los hechos de aquella época pero que ni siquiera quieren hablar porque su sentido del recato les prohíbe revivir sus propios pasados sin sonrojarse, y cuando por fin ya tengo cada nostalgia en su sitio y cada rostro con su cuerpo respectivo, ni siquiera sé por dónde comenzar un relato que tenga pies y cabeza. Con su dispensa, pues, voy a intentarlo. Empiezo, como toda historia que se respete, por el teatro de los acontecimientos.

El pueblo queda al otro lado de los altos arrozales que crecen en los pantanos. Antes que un pueblo, con sus calles trazadas y una cierta armonía, es más bien una larga lengua de tierra que se extiende entre el mar y el río. Sus habitantes viven en el agua pero no comen pescado ni de río ni de mar porque dicen que los pescados roen el cadáver de sus ahogados y, en esas circunstancias, comer pescado es una forma disimulada de antropofagia. En cambio, comen arroz todo el año: sazonado con leche de coco, arroz revuelto con plátano maduro y limaduras de chicharrón, arroz con mango, con fajas de carne salada, con menudencias de gallina, con tocino de cerdo, arroz de auyama con hojas de orégano y romerillo, o lo que llaman *arroz de puta pobre*, mezclado con un humilde guiso de cebollas y tomate. Comen arroz con arroz, cuando la pobreza no da para más, y no es por falta de imaginación culinaria, sino porque el arroz es la marca que distingue nuestras vidas.

Al amanecer, a la salida del sol, los arrozales se ven gordos y tienen el mismo color de lujuria del oro nuevo. Las espigas se acaman por su propio peso y los pájaros vienen a picotearlas con una alegría de banquete. El río arrastra en su corriente de lodazal cosechas y animales muertos, casas y gallinazos, muñones de árboles y personas difuntas. Los patos navegantes, de plumas lustrosas, sólo dejan el pescuezo a la vista. El río ha sido la fortuna y la desdicha de nuestras vidas. Es una bendición y una maldición al mismo tiempo. Ha traído el hambre y también la prosperidad. Es una fuente de júbilo y desgracias, sin orden ni coherencia. Es un río de mierda, ya lo sé, hablando en términos literales, y no tanto por lo que hace sino por lo que parece. Pero el río nos trajo las novias que volvían del colegio, la primera piladora de arroz y el hospital prefabricado que regalaron las buenas conciencias inglesas en aquel año del incendio.

Cuando principia la temporada de lluvias, el río se sale de madre y se lleva a los niños que encuentra cagando en las orillas. Por eso la gente no quiere comer pescado. Se forman entonces largos pantanos manchados de garzas morenas que chapotean en el agua, se comen las garrapatas que angustian a las vacas y ahuyentan a los mosquitos. En el invierno ve uno a los vecinos de la ribera que pasan en estampida, huyendo de la riada que los persigue y les muerde los talones como un perro hambriento, y trasladan sus casas a lugares más altos, incluyendo las tapias cubiertas de flores y las piedras del fogón, a la espera de que regrese el verano. En esas emergencias cada quien ayuda a cargar ollas y estoperoles, esteras empapadas y enfermos quejumbrosos.

El mar, en cambio, es otra cosa. Bravo pero leal. Siempre avisa. Cuando van a desgajarse sobre el caserío los vendavales de junio, y antes de que la brisa arranque de cuajo los vástagos de las palmeras, se desploma primero una tempestad eléctrica, seca y escandalosa, que en realidad es más un anuncio que una tormenta, aunque el otro día una culebrina mató a un alcatraz que estaba copulando con su hembra. Cuando viene la borrasca, el alcatraz planea en la mitad del viento de las cinco de la tarde. El alcatraz es un barco que vuela. Tiene también su pundonor:

se deja caer sobre el agua como una piedra emplumada, sale resoplando de la espuma y mastica con avidez, aunque no haya cazado ni una humilde sardina, para guardar las apariencias y conservar el respeto de su bandada. En mi niñez conocí un alcatraz que tenía la mala costumbre de volar contra el viento. Ya viejo y por completo ciego, se asiló solitario en un peñasco de isla Fuerte, en vez de tolerar la ignominia de que sus compañeros pescaran para él. Al cabo de tres meses se murió de hambre.

En el sitio exacto donde los misioneros oficiaron la primera misa, a los caminantes nocturnos los espanta desde tiempos inmemoriales el fantasma del pirata sin cabeza. Quienes lo han visto dicen, antes de perder la razón, que corre por la orilla del mar reclamando que le devuelvan su tesoro y llora de una forma lastimera que lo mueve a uno a compasión. Lleva puesta una guerrera de capitán de barco con abotonadura dorada. Que se sepa, es el único pirata de todo el Caribe que no tiene una pata de palo ni un parche en el ojo, pero tiene, en cambio, las manos rugosas y salpicadas de manchas, y los pelos del pecho, que pueden verse por la camisa entreabierta, se le han encanecido. La suya es una catadura tan humana que, según contaba mi padre, después de los sucesos que siguieron, es también el único fantasma de este mundo, y del otro, que ha ido envejeciendo con el paso de los años. El doctor Lepesqueur, tan irreverente como ha sido siempre, sostiene por el contrario que no es ningún pirata ni qué niño muerto, sino un amante clandestino que pretende atemorizar a los curiosos y a los intrusos para poderse meter a la casa de su barragana, una muchacha de la playa cuyo marido es un contramaestre que navega medio año seguido en las goletas de contrabandistas que viajan a Panamá.

El padre Agudelo, por su parte, tiene una explicación diferente, más piadosa y menos indecente. Un domingo dijo en el púlpito que el pirata es en verdad el espíritu del misionero Gabriel de Seoane, que ha regresado para castigar a los pecadores porque convirtieron en un lugar de perdición el pueblo que él fundó. Mi madre, que estaba en el reclinatorio de la primera fila, y que a veces se permite esos resabios con su religión, se preguntó, quitándose la chalina que le cubría la cabeza: «¿A quién se le ocurre pensar que un santo sacerdote se va a disfrazar de salteador de mares?». Mi madre empezaba a creer, por esa época, que el padre Agudelo estaba entrando ya en las chocheras de la vejez. «Yo sé lo que están pensando», agregó el padre, mirándola con un ademán de reproche. «Pero es que los designios del Señor son insondables». Mi madre, aturdida, renegó de sus malos pensamientos.

Mi padre, que siempre halla razones poéticas hasta en los misterios más sobrecogedores de la vida, creía a pie juntillas que se trataba de un pirata auténtico, pero que no había vuelto en busca de tesoros perdidos ni de pecadores incorregibles, sino por la novia que se le quedó extraviada en un saqueo.

Sixto Manuel Torres, un indiecito sabio y mofletudo, de cara adusta, que gozaba merecida fama de erudito y de riguroso historiador de las tradiciones del pueblo, dejó escrito que el fantasma había sido en la vida terrenal un pirata holandés que regresaba de Cartagena de Indias con su cuadrilla de maleantes, luego de haber arrasado la ciudad, y en su fuga hacia las islas de las Antillas se detuvieron a descansar frente a San Bernardo del Viento y aprovecharon para calafatear las junturas del barco con estopa y brea con el fin de impedir que entrara el agua. Fondearon su nave corsaria mar afuera, en la ensenada de Pasonuevo, y amparados en las sombras de la noche, con la arboladura al viento, trasladaron el botín del pillaje a la orilla de un peñasco llamado El Ancón, que se levanta a medio camino entre la bahía y la playa. Trabajaron hasta el amanecer, abriendo un pasadizo secreto, y excavaron un foso en la piedra rotunda para enterrar el tesoro. Todavía hoy es posible escuchar, si la luna es creciente y el viento ulula entre los cocoteros, el golpe acompasado de los zapapicos y el sonido sordo de las paladas de tierra y cascajo emparejando el suelo, una vez terminada la tarea.

Sus compañeros descubrieron a tiempo, sin embargo, que el holandés planeaba envenenarlos antes de hacerse otra vez a la mar, para que ninguno de ellos cayera en la tentación de traicionarlo ni en las provocaciones a que acude la codicia cuando quiere enloquecer a los hombres. Su marinería le salió al paso y lo decapitaron primero. Arrojaron sus despojos a los tiburones hambrientos que merodean por isla Fuerte. Lo triste es que cuando los asesinos fueron a recuperar el tesoro, la piedra viva que habían abierto a la entrada del corredor creció de nuevo, como una cicatriz en el espinazo del farallón, y taponó la puerta, que ahora estaba cubierta de maleza y nidos de gaviotas.

Desde el día en que Mayito Padilla comenzó a murmurar en los velorios que el tesoro consistía en una mesa de comedor de oro macizo con sus seis sillas también de oro, repujadas en incrustaciones de rubíes y diamantes, las generaciones presentes y venideras no volvieron a descansar en paz y se dedicaron a agotar todos los recursos con que cuenta la astucia humana, empezando por los conjuros de la brujería y la explosión de la dinamita, pasando por las técnicas modernas de la ingeniería de carreteras y terminando con mandas y promesas al santo patrono. Galileo Benito Revollo, el hijo mayor del boticario, a quien un amigo travieso le estampó en el estómago un hierro caliente de marcar vacas, se gastó en esos afanes el último centavo del negocio de ungüentos y pomadas que le heredó su padre. Pero hasta el día de hoy han sido inútiles tantos desvelos y tantas ambiciones porque nadie ha podido remover ni una sola esquirla de la piedra de El Ancón y parece que el secreto del holandés se perdió para siempre. Lo único que queda de aquel tesoro de leyendas e ilusiones es el pobre fantasma sin cabeza que gimotea por la playa, en una carrera interminable desde la rada hasta el caño de la Balsa. Al paso del fantasma se sublevan las miasmas, los efluvios malignos, las aguas estancadas y el olor hiriente de los camarones corruptos.

—Paparruchas —dijo con desprecio el doctor Lepesqueur, descruzando la pierna en el taburete de la tienda—. Me gustaría saber por dónde grita un hombre que no tiene cabeza.

Mi padre, en lo alto de la escalera, trataba de alcanzar una pieza de coleta morada y se detuvo un instante.

—No le meta Descartes al asunto, adalid —le dijo—. Usted sabe que la belleza no mantiene relaciones con la digestión.

—Poetas —exclamó el doctor—. Que me los envuelvan a todos.

Cuando mi padre acabó de cortar la yarda de tela, que se olvidó de cobrarle al cliente, el doctor tuvo la nefasta ocurrencia de proponerle una exploración del terreno para dirimir el debate. Una noche resplandeciente de octubre se fueron los dos, a escondidas de mi madre, con el pretexto infantil de visitar a un enfermo. Hicieron una parada en la casa donde el doctor vivía solo y tenía su consultorio, frente a aquella placita que ya no existe y que por esos tiempos había sido ocupada por los perros callejeros con sus hembras y sus crías. A los diez minutos el doctor volvió a la puerta y mi padre casi no lo reconoce a la luz desfalleciente de la lámpara de querosén. Se quedó reparándolo, pasmado, y le recordó un viejo retrato de sir

Cecil Rhodes en su entrada a Sudáfrica, que había visto en las enciclopedias. No se sabe de dónde diablos sacó el doctor un casco de corcho, con barboquejo incluido; llevaba puestas unas bermudas de lona, veteadas por el hongo, y unas botas de policía. Se puso, además, un cinturón con revólver y le entregó a mi padre un mosquete inútil de los años de la Colonia.

—Los fantasmas no hacen daño —le dijo mi padre, rechazando el escopetón de museo.

—Pero los amantes sí —insistió el doctor—. Sobre todo si lo confunden a uno con el marido.

—Ya veo —añadió mi padre, siguiéndole la corriente—. Lo que usted me está diciendo es que la infidelidad puede ser más peligrosa que los fantasmas.

El doctor ni siquiera se dio por enterado de la chanza, abstraído como estaba en cargar su revólver con unos proyectiles roñosos del tiempo de upa. Una bolsa de cuero colgaba del hombro de mi padre. Expelía un aroma acre y picante.

—¿Qué lleva ahí? —le preguntó el doctor—. ¿Árnica para los golpes?

—La raíz de la mandrágora —le contestó—. Es lo único que comen los fantasmas.

Ahora sonrió el doctor.

—No sea bobo —lo regañó—. La mandrágora tiene un olor pestilente. Eso es polvo de jengibre, con el que las brujas estafan a los incautos.

Se asomaron a la calle y el pueblo dormía a esa hora. Los perros de la placita también, aunque un cachorro trasnochado se quedó mirando el extraño atuendo del doctor y le olisqueó las piernas paliduchas y peludas. Caminaron en silencio y después se ocultaron detrás de una trabazón de palmas y matas de hicaco. Esperaban a que fuera medianoche. «Siempre sale a las doce», había dicho uno de los testigos.

—Estese quieto —dijo el doctor, y desenfundó el revólver.

Mi padre sintió ganas de estornudar por el cosquilleo que le provocaba en la nariz el olor agudo de los hicacos podridos que se caían de las ramas. Vio las frutas, bañadas por la luz de la luna, y se dijo que parecían ciruelas blancas. A poca distancia de ellos, el mar oleaba en la playa, sin estridencias, y vieron a su izquierda la silueta de El Ancón, que parecía recortada con una tijera, como los modelos de vestidos que mi madre sacaba de los figurines que llegaban de Cuba. Después cosía su propia ropa en la máquina de pedales, que lo adormecía a uno con su susurro en el sopor de la una de la tarde.

Un aullido de quejumbre traspasó el sigilo de la noche.

—Es él —musitó mi padre.

—¿El amante? —preguntó Cecil Rhodes.

—No, el fantasma —respondió mi padre.

El grito, que se repitió dos veces, parecía provenir de todas partes al mismo tiempo y ocupaba todos los espacios. Se oía por encima de la tranquilidad del mar, entre los arbustos, en los ranchos vecinos construidos sobre tambos, en el olor afilado de los hicacos, en el bosque de manglares. Mi padre comprobó, como se lo había imaginado, que no era un chillido amenazador ni que infundiera pánico, ni helaba la sangre, ni nada de esas cosas que solían decir sus libros en circunstancias similares. Se trataba más bien de un clamor que pedía clemencia y suscitaba piedad antes que miedo. Era la súplica de un alma que imploraba alivio para que la dejaran vivir en paz su propia muerte.

—Ese pobre hombre no está gritando —dijo mi padre—. Está sufriendo.

—Que se calle, le he dicho —dijo el doctor, y lo único que se le ocurrió fue martillar un tiro al aire.

Contra cualquier previsión, aquella arma de arqueología probó servir y el fogonazo retumbó como un relámpago en la penumbra. El estruendo despertó a los perros de la ranchería cercana, que se lanzaron a ladrar despavoridos. El fantasma corrió asustado. Mi padre sintió sus pasos afanosos que se acercaban a ellos. Se levantó de su guarida y vio un rayo de tintes irisados que se desplazaba iluminando desde arriba al hombre que corría, como hacen en nuestros tiempos los reflectores de espectáculos, salvo que la fosforescencia que mi padre vio esa noche parecía hecha de una masa sólida, como si estuviera cayendo sobre la playa un chorro de agua de colores. Bajo la luz había un hombre de mediana estatura, flaco y con un sombrero de dos picos, que portaba un espadón en la cintura. Cuando se aproximó a ellos y el fulgor que lo bañaba se hizo más intenso, mi padre observó que no llevaba puesta su casaca de capitán y en cambio vestía una camisa blanca y ancha, cuyas mangas remataban en unos volantes de encaje. Más allá de los encajes tenía unas manos flácidas y salpicadas con las pecas grandes de la vejez.

El doctor Lepesqueur engatilló de nuevo su revólver.

—Déjelo que se acerque —le ordenó a mi padre.

El doctor se arrojó sobre el fantasma y quiso apresarlo por el brazo erguido con que señalaba el horizonte del mar y los contornos de El Ancón, pero no encontró soporte ni sostén, ni músculos o huesos, y se fue de bruces porque estaba agarrado del aire. El doctor se levantó del suelo.

—Alto ahí, impostor —le gritó, encañonándolo.

Pero el hombre ni siquiera se percató de su presencia y daba la impresión de que no lo hubiera oído.

—¿Tiene hambre? —le preguntó mi padre, extendiéndole la mandrágora, cuando el fantasma pasó a su lado.

—No, gracias —dijo la exhalación con una hermosa voz de clarinada, sin volverse a mirarlo.

Hombre y fulgor atravesaron una palma y siguieron corriendo, hacia el otro extremo de la playa, donde el caño de la Balsa desangra toda su agua en el mar. El hombre flotaba sobre la arena. Lo único que dejó a su paso fue una ráfaga helada que expelía un tufo de flores marchitas. El doctor se miraba la mano abierta, la misma que había asido el brazo de humo del fantasma, y sintió en la piel el roce frío y húmedo de la muerte. Entre sus dedos quedaba un polvo rasposo y gris, con la apariencia del cemento ordinario, y el mar y la noche se transformaron en una neblina amarilla.

«Los fantasmas no existen», pensó el doctor mientras volvían al pueblo, al pasar frente al cementerio. «Es un fuego fatuo, el sudor mortuorio que despiden los cadáveres de animales y ciertas materias vegetales en descomposición. Forman pequeñas llamas que se ven andar por el aire como si flotaran a media altura del piso. En particular ocurre en los cementerios y en los parajes fangosos del mar, donde hay mariscos en putrefacción. Eso fue lo que me enseñaron en la universidad. Los fantasmas no existen».

Mi padre caminaba a su lado. «El doctor cree —pensó— que los fantasmas no existen y que lo que acabamos de ver son fantasmagorías suyas. La gente no sabe que a menudo un fantasma no es más que la sombra de un viajero que viene a visitarnos del pasado. Si los hombres comprendieran eso, estaría resuelta la mitad del misterio de la vida. El doctor piensa, además, que al calor de la noche el mar estimula la imaginación porque es un mundo horizontal, ilimitado y plano. El doctor cree que es un problema de geometría. En la orilla del mar uno puede pensar lo que se le ocurra, hasta donde la vista alcance y alcancen los sueños. El mar, como las ilusiones, es infinito. No hay nada que lo detenga a uno. El mar es libre y abierto, como el amor y la muerte. El doctor no entiende eso porque la montaña en que él nació, que es bella y nevada, de todas maneras no es más que una pared que les corta el vuelo a los pensamientos. El mar es horizontal y la pared es vertical. Esa es la distinción, pero el doctor no la entiende porque él ama la ciencia y aborrece a los poetas».

—No lo piense más, adalid —le dijo, pasándole la mano por el hombro—. Los fantasmas existen y nosotros acabamos de ver uno.

El doctor se sintió sorprendido y desnudo. Por primera vez en su vida pensó que tal vez sea cierto que los poetas tienen la potestad de interpretar los sentimientos más recónditos del alma. «En estos confines del mundo, uno ni siquiera puede darse el lujo de pensar en secreto». Pero aun así no dio su brazo a torcer.

—Déjese de fantasías —le dijo—. Lo que vimos fue un fuego fatuo.

—Pero las fantasías no lloran, adalid, ni hablan —le dijo mi padre.

Se quedaron callados porque estaban llegando ya a las primeras casas del pueblo. El doctor dijo que sentía un escozor de candela en los ojos. Después se puso, caviloso, a hacer círculos con la punta de la bota en la tierra de la calle. Mi padre le devolvió el mosquete.

—¿En qué piensa, caudillo? —le preguntó.

—Pienso —dijo el doctor— que en estas tierras de hechicería no sirve para nada lo que me enseñaron en la universidad.

Se marchó a su casa y estuvo encerrado en el dormitorio hasta el sábado por la tarde, cuando lo vieron reaparecer en el salón de billares, ya que el destello que irradiaba el fantasma lo dejó ciego tres días con sus noches.

Sobre el pueblo cae un sol blanco y picante todo el año, salvo cuando acaba de llover, y entonces aparece, al otro lado del río, un sol tibio y pálido, íntimo y acogedor, que calienta a los escarabajos, hace chillar de contento a las cigarras y pone sensuales a las mujeres que lavan la ropa en los patios, soñando despiertas con sus maturrangas de lascivia, cantando en voz baja, con los ojos brillantes, y riéndose sin un motivo aparente. El doctor Lepesqueur, que ha sido tan aficionado a explicar con estadísticas los asuntos de la humanidad y de la naturaleza, demostró sin lugar a equívocos que el setenta y seis por ciento de las criaturas del pueblo nacen nueve meses después del primer aguacero de mayo, cuando el sol recién lavado cabrillea sobre el río y las mujeres sienten unas cosquillas obscenas en la nuca.

Una vez que cesa la lluvia, del otro extremo del pueblo, donde está el mar, brota una brisa fresca y renovada. Cuando llegan a la mitad del camino entre el mar y el río, el viento que sopla de la derecha y el sol que va saliendo por la izquierda se encuentran al pasar sobre los techos de palma amarga de las casas y caen sobre ellas, revueltos, dándoles a cada persona y cada cosa, incluso a los burros sin dueño que dormitan en los aleros y a las gallinas que se sacuden las plumas, esa tibieza de nido que seca las hojas sin estropearlas.

Por eso el doctor Lepesqueur, tan sabio siempre, y tan racional como todos los hombres de su estirpe volteriana, consideraba injusto que el pueblo se llamara apenas San Bernardo del Viento.

—Debería llamarse —decía él, espantando los perros con su látigo— San Bernardo del Viento y del Sol.

—¿Y por qué no San Bernardo del Sol y del Viento? —replicaba mi madre, en broma, para picarle la lengua.

—Lo mismo da atrás que en la espalda —decía el doctor, encogiéndose de hombros—. Lo que pasa es que los españoles son muy brutos. Sobre todo si son curas.

«Ave María purísima», exclamaba mi madre, escandalizada por la blasfemia, y se echaba la señal de la cruz, arrepentida de haberlo desafiado. Ella sabía que el doctor Lepesqueur, francés en resumidas cuentas, era descreído y cínico. Tenía en el ojo una mancha en forma de araña y mi madre sospechaba que era la marca del maligno. Se había escapado de un calabozo de la isla del Diablo en una chalupa de contrabandistas y mi madre creía que, además de ateo, estaba loco de remate.

—Es médico, pero se cree astrónomo —decía ella, desde la mecedora del baño—. Y a veces es peor: es médico y astrónomo, pero se cree filósofo.

Levantaba entonces la vista del acerico cubierto de agujas y alfileres, suspendía por un instante su tejido de cadenetas, miraba por la ventana el turpial gordo que cantaba en la jaula, y le preguntaba en voz alta, perpleja:

—¿O será que todos tres son la misma cosa?

El pájaro le respondía con cuatro trinos, pero ella nunca aprendió a descifrar su lenguaje. Fue uno de los pocos misterios que se le quedaron por resolver en esta vida.

Los viejos más viejos del pueblo, que se transmitían las tradiciones de padres a hijos, dejaron la noticia de que todo empezó un día sofocante de agosto, a mediados del siglo dieciocho. Dos misioneros españoles salieron de Panamá en una goleta con el piadoso encargo de entronizar en Cartagena de Indias una estatua sagrada de Bernardo de Claraval, el abate francés que se convirtió en santo porque había predicado con ardor en la segunda cruzada contra los infieles y componía en su convento oraciones a la Virgen María, para que intercediera ante la corte celestial en nombre de los desterrados del paraíso, los hijos de Eva que viven en este valle de lágrimas.

Pero al tercer día de navegación, los misioneros y su goleta de dos palos se metieron en el ojo de un vendaval que los naufragó en un banco de corales, cerca del promontorio de Punta de Piedra. Lo único que se oía era el chillido de las gaviotas acoquinadas por el diluvio y el golpe del oleaje en la pleamar. Los tripulantes rezaban a gritos, por encima de los ladridos del viento, viendo venir la muerte al garete entre aquellas aguas encrespadas, cuando el cefirillo blando de la madrugada, movido por la mano del propio Bernardo, los arrastró hasta la orilla, entre las hojas que flotaban deshechas y los restos del desastre.

Al pie de los cocoteros de la playa tropezaron con dos alcatraces muy viejos y enfermos, que arrastraban las patas y unos bohíos dispersos de techo de palma. Unos cuantos indios palúdicos los miraban asustados desde la arboleda. El padre Gabriel de Seoane y su compañero, cuyo nombre se extravió para siempre en las entretelas de la historia, pusieron la imagen del santo sobre un tronco de balsa blanqueado por el salitre, improvisaron un altar a las volandas, oficiaron la misa, dieron gracias por su salvación, consagraron con agua de coco y comieron su carne a falta de vino y hostias, suspendieron por un momento la ceremonia a causa de la impertinencia de los alcatraces que corrían como locos por la playa, comprobaron que no hay nada más feo ni conmovedor que un pájaro caminando, bendijeron el solecito tímido que se colaba entre el follaje después de la tempestad, recogieron sus estolas húmedas y sus crucifijos, besaron el suelo que les daba su cobijo y, en señal de gratitud con el soplo divino que los había salvado y con la mano invisible que lo movía, al lugar lo llamaron San Bernardo del Viento.

—Brutos que eran —repetiría doscientos años después el doctor Lepesqueur—. Debieron ponerle San Bernardo del Viento y del Sol.

—El bruto es usted —saltaba mi madre, en su baño, exasperada por el ateo—. ¿No ve que los salvó el viento, no el sol?

La verdad es que los indígenas caribes sintieron una mezcla de fascinación y estupor ante la extraña ceremonia y guardaron el tronco y la imagen, más por previsión que por devoción, y en cierta oportunidad intentaron cambiárselos por ron de Jamaica a los piratas que llegaron detrás de los españoles, pero los piratas no buscaban santos ni palos benditos sino oro. El pedazo de balsa, consagrado como una reliquia histórica y espiritual en la primera iglesia que se levantó en el pueblo, logró sobrevivir a dos huracanes y al incendio de marzo, hasta que unos borrachos sacrílegos lo sacaron en la madrugada para encender el fogón de un sancocho de gallina con mujeres de mala vida en el patio de Flor de María, que hacía los mejores cocinados de toda la comarca.

—Si ese pedazo de palo era tan milagroso —trató de defenderse uno de los parranderos, haciéndose el fanfarrón y el gracioso—, ¿por qué se volvió tizón?

El pueblo tuvo la generosidad de perdonar la blasfemia, pero no la burla, que tradujeron como una martingala del demonio, y los alegres compadres del sancocho fueron excomulgados. Flor de María también, porque el párroco la consideró cómplice necesaria de semejante bestialidad, y el mismo anatema cayó sobre sus descendientes, hasta la decimonona generación. En un auto de fe, en plena plaza pública, el cura exorcizó con un hisopo de agua bendita la olla del condumio y luego procedió a despedazarla con su báculo.

La estatua de Bernardo, en cambio, se conserva todavía hoy a la entrada del pueblo, junto a unos almendros silvestres que refrescan el camino del río, tal como los náufragos la dejaron en la playa, con un rosario en el cuello, pero con sus atavíos ornamentales desflecados por el agua de mar, el paso del tiempo y el golpe incesante del viento, salpicados de cagarruta de pájaros, desteñidos por el sol, ensopados por la lluvia y retostados por el verano. Los vecinos se santiguan con recogimiento cada vez que pasan frente a él. Tiene un ojo más chiquito que el otro, nadie sabe por qué, ni nadie se atreve a preguntarlo sin arriesgarse a desatar la ira eterna que castiga a los curiosos. Aún hace milagros de tiempo en tiempo y, a pesar de su aspecto desastrado de pordiosero, atiende las rogativas y tiene influencias suficientes para lograr que llueva en medio de la sequía, engorda las espigas del arroz, les consigue marido a las muchachas en edad de merecer, interpone sus buenos oficios para que gane el equipo de béisbol y hasta protege a los contrabandistas que navegan cargados de porcelana china y relojería japonesa por los mismos bajíos en que naufragó su goleta y que entran de noche a los esteros del río, con las luces apagadas, para que no los encuentre la gendarmería, orientándose por los rayos de luna llena que rielan sobre el agua y les señalan el camino. Las iras de Bernardo suelen ser inofensivas pero evidentes. Se molesta cuando su grey se descarría. Eso fue lo que pasó, ánimas del purgatorio, el día en que fueron a sacarlo de su nicho para la tumultuosa procesión de agosto, y ante el calor de las velas que ardían como relámpagos de mediodía, porque era la una de la tarde, Bernardo se puso tan pesado que cuarenta hombres no pudieron alzarlo.

—Tiene motivos para estar furioso —exclamó mi madre—. Con tanto pecador que hay en este pueblo...

El padre Agudelo le dio la razón, y con su pericia en asuntos teológicos y en la interpretación del peso corporal de los santos, anunció que Bernardo estaba ofendido porque el pueblo entero había tolerado, con su complacencia expresa o con su silencio de alcahuetería, que la señora Angermina abriera las puertas del primer prostíbulo que hubo en estos parajes, con el permiso sellado del señor alcalde, como si fuera poco. Lo de abrirlas es un decir, por mi parte: lejos de abrirlas, lo que Angermina hizo fue cerrar las puertas de su casita de bahareque y la convirtió en un salón lúgubre, con una luz macilenta acribillada de mosquitos. Fue allí donde tres generaciones de *vienteros*, que es nuestro gentilicio original, aprendieron las maromas sexuales que nadie más habría podido enseñarles, salvo las muchachas del servicio doméstico, pero corrían el peligro de quedar encinta.

De todas maneras, para sosiego del padre Agudelo y para que el alcalde quedara en paz con su conciencia, el asunto duró muy poco tiempo. Fue tan estrecha la amistad de la clientela con las hetairas que Angermina contrataba en Montería, y tan entrañable la misericordia compasiva del vecindario con aquellas mujeres sin rumbo y sin familia, y tantos los bautizos que se hicieron para cristianar a sus hijos imprevistos, y tantas las veces que esas muchachas arrepentidas fueron a misa, y tantas las veces que comulgaron con devoción, y tantas otras las ocasiones en que volvieron a pecar sin remedio, para confusión y enredo de la gente, y tan oprobiosa la noche en que los guardianes entraron a caballo en el salón de las luces opacas, que el prostíbulo tuvo que cerrar sus puertas —ahora sí, en serio— al cabo de un año. La dueña confesaba que tomó la decisión de clausurar el negocio una madrugada de sábado en que un borracho entró al cuarto abrazado a una de las muchachas. Cuando pensó que estaban en lo mejor de la faena, Angermina oyó al hombre sollozando en la oscuridad.

—Te quiero tanto —le dijo a su compañera— que es como si me acostara con mi propia madre.

El borracho se vistió en silencio y cogió su camino. Detrás de él, con el carácter resuelto que el pueblo le conocía, Angermina puso la tranca de la puerta para siempre y tapió las ventanas con bahareque y boñiga, de modo que la casa quedó oliendo a mierda de vaca por varios años, hasta que el verano volvió a retostar las paredes. De las seis mujeres que entonces prestaban sus servicios, tres se casaron con varones del pueblo, tuvieron hijos, fueron abuelas y envejecieron rodeadas de respeto; dos más se metieron de novicias al convento de las franciscanas que llegaron por esos días, y la última, que se había quedado en la casa para cuidar a su madama en la vejez, y que había adquirido en la experiencia algunas habilidades curativas, fue nombrada enfermera cuando terminaron de ensamblar el hospital que nos regalaron los ingleses. Debo recordar ahora que los maridos de las tres cortesanas en uso de buen retiro se encargaron de la manutención de Angermina hasta el día en que murió de vieja, y ellos mismos financiaron la reconstrucción del antiguo burdel en el que funciona actualmente el colegio de señoritas, regentado por las monjas.

—Dios sabrá cómo hace sus cosas —dijo mi madre en la inauguración de la escuela, sin atreverse a censurar abiertamente los mandatos del cielo, aunque juraba que la prostitución es contagiosa.

El doctor Lepesqueur, en cambio, es más rotundo. Cada vez que pasa frente al colegio levanta en el aire el mango de su látigo, señala sin pudor la edificación de paredes blancas y exclama, con su cinismo insolente de hereje:

—He ahí el único puteadero del mundo que se acabó por amor.

3

EL ORIGEN

Los primeros emigrantes libaneses llegaron a San Bernardo del Viento cuando la guerra del catorce estaba en su apogeo. El pionero que abrió la exploración de ese universo desconocido fue el viejo Abdala, un pariente lejano de mis padres a quien sus propias hijas, de las que tuvo cinco, acabaron nombrándolo el viejo Abdala, con todas sus letras completas. Ahora que me detengo a pensarlo, me parece que lo llamaban el viejo Abdala desde el día en que nació. Hombre alegre y divertido, se volvió un jaranero incurable apenas puso el primer pie en tierra. Se metió en la corraleja de San Pelayo la misma tarde de su llegada y cuando aún no sabía decir ni su propio nombre en castellano. Manteó tres toros con cierto dominio de la materia, pero luego se emborrachó, le dio un pescozón a un banderillero rudimentario y estuvo a punto de matar a un tamborero por haberle dicho «turco».

Eso sí lo entendió, y desesperado porque no podía responderle con palabras, le metió el bombo por la cabeza, como si fuera un collar, y le despellejó la cara. Era un hombre entrecano, bajito y rollizo, con una fuerza de tractor y el cuello amurallado de un hipopótamo. Si estornudaba de noche, el estrépito del estornudo se oía hasta en las afueras del pueblo. «Eso no es nada», decía. «Al capitán Hernández se le oyen los ronquidos en Lorica».

—Dice la policía que vayan a buscar a un turco loco que no sabe hablar y está acabando con la fiesta —gritó desde la calle un muchacho.

Cuando fueron a recogerlo estaba en el centro de la plaza, feliz entre los pitones de las fieras, bailando un fandango impúdico con una mulata de color cobrizo que montaba a horcajadas en su espalda.

En su larga vida, el viejo Abdala no se privó de festejo alguno. Era el clarinete que prendía todos los jolgorios. Fue camarada de músicos y galleros y andaba de la ceca a la meca, suelto de madrina, con los integrantes de un conjunto de acordeón que vivían y tocaban por su cuenta. Aprendió a bailar sin quemarse en la rueda del fandango con dos cajas de velas encendidas en las manos. Las mujeres se lo peleaban a la hora de la cumbiamba. Fue también el único testigo verdadero de los móviles que tuvo el asesino para dispararle al hombre que tocaba el violín, pero jamás abrió la boca, ni tan siquiera cuando lo metieron preso por negarse a atestiguar. «Pueda que yo sea un chiflado», decía, «pero no soy un delator».

En la ceremonia de sus exequias, el doctor Lepesqueur reviviría, llorando de la risa, la vez aquella en las fiestas de San Juan cuando el viejo Abdala corrió a galope tendido un caballo a pelo hasta que el animal desbocado lo arrojó al suelo y lo pisoteó. Pero él se levantó bailando a los compases de la banda, feliz y como si nada.

Pagaba todas sus deudas de estanquillos y cantinas con el negocio de carnicería, la primera que hubo en el pueblo, y se volvió un zorro viejo a la hora de regatear con ventaja una manada de cerdos o una recua de chivos. Curó y crió, como si fuera el hijo varón que nunca pudo engendrar, a un alcatraz perdido que tenía un ala deshecha por el balazo de algún cazador sin entrañas, y que a partir de entonces lo seguía a todas partes, como un gran pato amaestrado. Cada mañana reservaba el hígado de carnero para mi padre, que se lo comía crudo al desayuno, cortado en cubitos, adobado con pimienta y limón, y acompañado por un plato sopero de miel de abejas. El viejo Abdala nunca aprendió a hablar el español de corrido ni menos a leerlo o escribirlo, y andaba por el pueblo con un periódico viejo doblado bajo el brazo, para engañar a los incautos. Sin embargo, no había un solo vecino que tuviera una alma más nativa que la suya, y con frecuencia decía, saltándose las preposiciones, que la música lo ponía frenético porque los tambores son la voz de la madre tierra.

—Pero esta no es su madre tierra —lo embromaban—. Su tierra es el Líbano.

—Mi única tierra está aquí —replicaba él—. Son los dos metros que me esperan en el cementerio de San Bernardo del Viento.

Se murió, por fin, a los ciento seis años, sentado en la puerta de su casa, echándose fresco con un abanico de palma y tarareando el porro aquel de Roque Guzmán que venía por el camino de Manguelito. Se estaba quedando dormido en el letargo de las dos de la tarde cuando sintió una punzada en el pecho y abrió la boca para recuperar el aire que se le escapaba. Con una lucidez clarividente, y sin miedo, se dio cuenta de la llegada de la muerte.

—Nadie me quita lo bailado —fue lo último que dijo, con los ojos puestos en un colibrí que aleteaba en el bochorno de la calle.

Su entierro se convirtió en una parranda mortuoria en la que desfilaron bailadoras con polleras de colores, mojigangas de gaiteros con maracas y ropajes blancos, los galleros con sus gallos invictos y una comparsa bulliciosa de compadres disfrazados de animales que lloraban sin pausa ni consuelo. A solicitud de los músicos de la región, y costeado por ellos, pusieron en su lápida un epitafio de letras doradas que decía: «Aquí yace el viejo Abdala. Nadie supo su verdadero nombre, pero hizo de la vida una fiesta».

—Un disparate, más bien —protestó mi madre—. Hizo de la vida un disparate.

Detrás de él llegaron, al año siguiente, mi padre, que había estudiado principios elementales de astronomía en el observatorio orientado en las afueras de Zahle por los jesuitas franceses, y Wadih Morad, un viudo de edad madura que llevaba de la mano a su hijo Nemesio, y que no había desempacado aún la ropa de su morral de expedicionario cuando compró seis gallinas y un gallo con una plata que le prestaron. Metió en el morral un toldo de lona y se fue por el sendero que conduce a la estatua del santo, arreando sus gallinas como un pastor las ovejas. Dormía en el suelo, bajo la carpa, después de haber amarrado sus animales por mera precaución a la pata de un árbol. Antes de llegar a Lorica ya había vendido con buenas ganancias el gallo, las gallinas y la docena de huevos que pusieron durante el viaje.

Compró entonces una bandada de patos barraquetes, que emigraban del hemisferio norte, y los revendió frente al pueblo de Carrillo. Una gavilla de pisaverdes que pasaban por ahí quisieron engañarlo ofreciéndole lo que definieron como la única lora que se ha visto en el mundo con un plumaje que no era verde sino opalino, entre gris y azulenco, un auténtico portento de la naturaleza tropical, que recitaba las tablas de multiplicar hasta el doce y además hablaba de un modo tan castizo que hasta podría enseñarle a distinguir los adverbios de los adjetivos. En realidad era un gavilán araniego, ave rapaz, de poderoso pico corvo y garras afiladas con las que mataba y transportaba a sus presas, entre ellas gallinas y palomas. Tenía rojizas fajas onduladas en el pecho, el vientre y el cuello. El gavilán, con los ojos desorbitados, lo observaba atónito, fijándolo con la mirada, escrutándolo, como si en efecto fuera un loro, aunque no hubiera dicho ni una sola palabra. Pero Wadih Morad se olió la trapisonda.

—Ya veo— les dijo, burlándose de ellos—. La lora no habla, pero piensa.

Siguió andando, vendiendo y ahorrando. Compró una pareja de chivos jóvenes y en Cereté, mientras se bañaba en el río, aprovechó para cambalacheárselos a unos campesinos por una vaca parida, encimándoles el toldo de lona. Tres meses después, tostado como un camarón por los soles impenitentes del camino, lo vieron regresar a San Bernardo del Viento en un caballo piquetero, voceando cantos de vaquería en su idioma pedregoso, mezcla de árabe y español, a un rebaño de cuarenta vacas lecheras que eran suyas. El caballo también. Ya era rico.

Muchos años después, en sus inagotables tertulias vespertinas con el viejo Abdala y con mi padre, Wadih Morad confesó que aquella travesía de los tiempos de la creación fue la época más dichosa de su vida. «No se sabe quién gozó más en ese viaje», decía, «si yo o el gallo con seis gallinas por su cuenta».

En un tiempo estuvo enamorado de Mayito Padilla, que era por entonces una joven pizpireta y buenamoza, y ella le mandó un clavel rojo, señal de que aquel hombre era de su gusto, porque si hubiera sido al revés le habría enviado un lirio blanco, que era la insignia del desprecio. Pero Wadih Morad no se volvió a casar porque, al contrario del viejo Abdala, desconfiaba en secreto de las virtudes hogareñas de esos indios tristes que pensaban con lentitud y de esos mestizos pervertidos que hablaban con velocidad, se emborrachaban los sábados, procreaban cada año, rendían un culto sagrado al nalgatorio de las mujeres, más que a cualquier otra parte del cuerpo, algo que a él le parecía contrario a natura, y además bailaban como si estuvieran haciendo el sexo con la ropa puesta. «Este es un pueblo salvaje, que come teta de vaca», decía.

Cuando murió, mutilado y ciego a causa de una diabetes crónica que logró engatusar por años devorando mangos de azúcar y bocadillos de guayaba a escondidas, su hijo Nemesio heredó la glotonería insaciable, además del primer salón de billares, que habría de quemarse en el incendio de marzo y en donde campeaba un letrero simple que decía: «Prohibido cantar».

—Dios no castiga ni con palo ni con piedra —comentó mi madre con un porte solemne, evocando la memoria del padre, el día en que Nemesio se casó en la basílica de Magangué con una negra agraciada que le dio dos hijos y lo hizo feliz.

Todavía hoy, pese a los veranos que han transcurrido desde la madrugada de su muerte, los viandantes que transitan por la acera oyen a Wadih Morad jugando a las carambolas de cuatro bandas en el solar pelado donde estuvo su establecimiento, y donde ahora duermen las iguanas y crece la maleza abriéndose paso por entre la juntura de las baldosas. Los vecinos del pueblo, que acabaron por acostumbrarse a sus atrevimientos en la vida, han terminado también por perdonarle sus caprichos en la muerte.

—Adiós, señor Wadih —lo saludan las mujeres piadosas cuando oyen el golpe de las bolas invisibles en el centro del solar.

—Adiós, mijita —contesta él, sin levantar la vista del paño verde—. ¿No tendrás por ahí un manguito dulce?

Una semana después de haber cerrado su negocio de perdición, la señora Angermina hizo la primera y única salida de su casa en lo que le restaba de vida. Saludó al difunto jugador de billar cuando cruzaba la esquina y después entró a la tienda de mi madre, con el propósito de comprar un corte de zaraza, pero no encontró a nadie.

—El que tiene tienda que la atienda, o si no que la venda —dijo risueña.

Después golpeó con los nudillos en el mostrador, y como no recibió respuesta se puso a atisbar por la puerta de la sala. Vio a mi padre, que la saludó desde el fondo del patio. Estaba armando una jaula para los turpiales en el mismo jardín donde acababa de plantar azaleas y siemprevivas en maceteros a la sombra. Tenía también la costumbre de curar con tiras de gasa las mataduras que le salían a su mata de uvas. Ponía en las esquinas estratégicas del patio los bananos maduros y los platicos con agua almibarada para que los pájaros bajaran a comer, a beber y a bañarse. Lo embelesaba el espectáculo de los canarios remojándose con alegría, lanzándose de cabeza al agua, cantando como muchachos traviesos, salpicando las flores y azotando las alas para secarse. Angermina no volvió a insistirle porque comprendió que a ese extranjero misterioso le importaban más los pájaros que las ventas de la tienda.

Era una tarde fresca y él había estado en el patio, en cuclillas, desde el amanecer, armado con una hoja de afeitar y unos desperdicios de madera fina que le regaló su amigo Baltazar Murillo, hijo del carpintero mayor del pueblo. Cuando terminó de hacer la jaula, que era bella como un palacio de Constantinopla, la coronó con una torre de nubes de algodón. También le puso en lo más alto una luna de papel de plata. Tenía asimismo un pequeño cuarto de música para que los polluelos ensayaran sus melodías antes de soltarse a cantar por el mundo.

Mi padre hizo la obra siguiendo las instrucciones que había publicado en El Heraldo un periodista de bigote de brocha que también escribía novelas y cuentos y tenía una verruga en el labio, a la derecha de la nariz. No era una trampa para cazar pájaros ni para encerrarlos. Era una residencia de paso para que los viajeros se detuvieran a reposar y a comer. El espíritu libertario de mi padre no habría sido capaz de concebir una prisión de animales. Por esa ánima de poeta la jaula le quedó tan bella. Pulió con amor la madera, valiéndose de un viejo cepillo de dientes, y luego la recubrió con un barniz duro y transparente que brillaba al sol. El ensamblaje meticuloso de las incontables piezas fue tan perfecto que por sus junturas no podía salir ni siquiera el canto de los pájaros.

La jaula tenía la apariencia dulce y fantasiosa de un bizcocho de cumpleaños. Mi padre metió en ella un turpial que sirviera de señuelo para los otros pájaros que revoloteaban con escándalo en los límites del patio. Luego colgó la trampa de una rama del granadillo, oculta por las hojas de la vista de los hombres, pero puesta de tal modo que los pájaros supieran orientarse hacia ella, siguiendo la melodía de la carnada. Una oropéndola lo miraba desde su nido colgante, hecho con ripios de plantas secas.

Mi padre, tendido bocarriba en la hierba, cubierto apenas por el cielo azul del verano, flanqueado por los caminitos de tierra que hacían en el suelo las hormigas candelillas, rubias y laboriosas, aguardó los primeros resultados de su ardid. El turpial empezó a cantar con tanto entusiasmo que parecía un cómplice suyo, y de inmediato, pasmados de admiración por aquel magnífico alarde del ingenio humano y por la melodía embriagadora de su congénere, cayeron sobre la jaula los mochuelos, una bandada de azulejos y los yolofos negros y gordos, que se comen las cosechas de arroz y son capaces de hacerse matar por su libertad. Eran tantos que la rompieron, astillaron la madera lustrosa y en su asalto frenético se lanzaron en picada sobre mi padre, que no tuvo tiempo de escapar. Le picotearon la calva y la frente, y lo hicieron sangrar. Los gritos lastimeros de la víctima atrajeron a mi madre y a dos campesinos que estaban en el ventorrillo regateando una pieza de tela vaporosa para mosquiteros. Lo encontraron aturdido, cubierto de sangre y barro, derrengado en el suelo. Mi madre fue a buscar un frasco de tintura de merthiolate y una rama de algodón.

—¿Qué te pasó? —le preguntó ella, perpleja, mientras lo curaba.

—Pasó —dijo él, más avergonzado que adolorido— que cometí la tontería de hacer una jaula perfecta.

Se detuvo a mitad de la frase y se quedó en silencio, abstraído, pensando en sus propias desgracias y en la tristeza de que los pájaros no tuvieran, como él, un corazón más inocente y una confianza mayor en los seres de la naturaleza. La miró a los ojos, a los célebres ojos de mi madre, que en su juventud inspiraron versos y serenatas y pasaron a la historia de San Bernardo del Viento como los ojos más resplandecientes que pudieran evocarse hasta donde alcanzaba la memoria. Adormecidos como el agua de los pantanos, eran grises, serenos y apacibles, menos cuando jugaba póquer, y en el fondo de su mirada aleteaba la melancolía.

La tintura le ardió en la herida de la ceja, pero él ya estaba hundido de nuevo en sus meditaciones recónditas. «El escritor de la verruga tenía razón», pensó. «No hay que hacer una trampa tan perfecta que engañe a todos los pájaros al mismo tiempo».

Mi madre no entendió muy bien de qué le hablaba, pero se consoló al recordar que tras cuarenta años de matrimonio ella nunca había comprendido a cabalidad las locuras que se le ocurrían a aquel hombre, desde el día en que lo vio por primera vez en su vida, esperándola en el muelle de piedra y tablas de Puerto Escondido. Llevaba puesto un pantalón caqui recién lavado, se había acicalado el mostacho como en las grandes celebraciones y la buscaba entre los pasajeros. Dedujo que era ella por el color gris claro de los ojos y por la elasticidad del cuello, largo y cruzado de venas azules, una distinción propia de las Abdala. Ya para entonces él tenía una calva noble, demasiado profunda para su edad. Los dos tenían veintitrés años, aunque él parecía mayor, y ella supuso que esa calvicie podía ser un síntoma premonitorio de la vejez, pero se reprendió a sí misma por permitirse tales frivolidades en aquellas circunstancias.

De pie en los barandales del barco de cabotaje, en el que viajaba de limosna o se ganaba el pasaje ayudando a barrer la cubierta y a lavar la ropa de los navegantes, supo de inmediato, con las últimas migajas de la magra ración de pan y con su aspecto mareado de huérfana, que ese hombre de entrecejo fruncido era su hombre, aunque no lo había visto nunca antes de ese día porque fueron sus tíos comunes los que arreglaron el matrimonio por cartas y telegramas a medio mundo de distancia. De modo que cuando ella se embarcó con la proa puesta a su destino, no sabía para dónde iba ni tenía la más mínima noticia de la filiación de su marido. Ignoraba si era ancho o angosto, reservado o risueño, y desde entonces, a pesar del susto que la estremeció a la vista de aquel mundo ignorado que se extendía bajo sus pies, y antes de cruzar con él la primera palabra, mi madre supo sin la menor vacilación que su carácter pragmático no tenía nada en común con aquel hombre timorato de grandes ojeras y cejas arqueadas. Para percatarse de ello fue suficiente con aplicarle el método infalible que le permitía desentrañar a la gente con sólo mirarle la limpieza intachable de los ojos, la flor de la piel y el vuelo libre de la mirada. Pero, sobre todo, lo confirmó por el ramo de flores desmirriadas que él llevaba en las manos: unas margaritas silvestres de tallos desiguales, que parecían trozados con los dientes, y atados con un cabo de bramante ordinario. Lo hizo con su hecho pensado, porque sabía que las margaritas son las flores que permiten adivinar las intenciones de los enamorados.

—Un hombre que recoge flores —pensó ella— no debe saber cuánto mide una yarda.

Su juicio fue certero. A la inversa de mi madre, él no había sido nunca un hombre de acciones sino de emociones, y era eso lo que lo convertía en un poeta de la vida diaria. Bajó del barco con el apoyo de dos marineros que la ayudaron a saltar la borda. En una mano llevaba la maleta de cartón con dos mudas de ropa interior, que eran todo su menaje, y en la otra la bolsa de papel con los últimos restos del queso rancio y el pan zocato de la travesía. Apenas pisó los cascajos del muelle, sintió el aliento del calor como un latigazo en las mejillas. Caminó hasta donde él la aguardaba, puso la maleta en el suelo y le recibió el manojo de flores marchitas. Tampoco sonrió entonces.

—¿María? —preguntó él, y a ella le pareció que su voz era bondadosa, pero algo endeble para su gusto.

Mi madre asintió con la cabeza y buscó en él alguna señal de un posible desencanto por haberla reconocido, pero no la encontró.

—Además es un romántico —pensó ella.

—¿*Márjaba*? —la saludó, y habría querido besarla en la frente chapeada por el bochorno, pero lo venció la vergüenza.

—*Nij* —respondió la muchacha, con una voz tersa y firme, a pesar de la ofuscación.

Mi padre sonrió para infundirle entusiasmo a la extraña. «Parece un hombre bueno», pensó ella. La tomó del brazo con una levedad de viento y empezaron a caminar de espaldas al mar, hasta el árbol del camino donde él había amarrado el burro para el regreso.

Esa fue la escena que ella revivió cuarenta años después, al verlo atolondrado sobre la hierba la tarde en que lo atacaron los pájaros. Mi hermana Yamile, que le había oído contar la historia de su llegada al puerto, le preguntó sin malicia por qué diablos había pasado una vida entera con un hombre al que no había visto antes de su matrimonio y al que sólo se parecía en el apellido.

—Por una razón muy sencilla —contestó ella, sin dejar de peinarse—: porque lo quiero más que a nadie en la vida.

Mi hermana, que estaba a su lado tejiendo un mantel, miró a la pared del frente para que mi madre no tuviera ocasión de adivinarle los pensamientos. Yamile cerró los ojos y pensó que mi madre tenía las emociones confundidas porque no era amor sino gratitud lo que sentía por ese marido inmaterial que le había dado amparo y refugio desde que fue a esperarla con sus margaritas desflecadas frente al mar ceniciento del puerto. En los días siguientes a su arribo mi madre mantuvo un lamparazo de desolación en la mirada y guardó como una reliquia la bolsa del pan y el queso amarillento que compró con sus dos últimas monedas en la escala de Marsella. Al doctor Lepesqueur, que la vio en esas primeras horas, le dio la impresión de una náufraga azogada o una criatura que hubieran dejado expósita a la puerta de un convento, y tal vez a ello se debía el parecido de sus zapatones blancos con los zapatos de las monjas. No abrió la boca en una semana porque no sabía qué decir ni tenía manera de decirlo. Se limitaba a mirar al hombre que la vida le había reservado. «Aunque mamá diga lo contrario», pensó Yamile, cortando con los dientes el hilo de la costura, «eso no puede ser el amor».

—Te equivocas, mijita, en lo que estás pensando —le dijo mi madre, con su tono más venenoso, como si le hubiera leído la conciencia—. Yo podría acostarme con un hombre por agradecimiento, pero sólo por amor le lavo los calzoncillos cagados.

Luego recogió las hebras de cabello blanco que habían quedado entre los dientes del peine de carey, y armó con ellas una bola que metió en el cajón del tocador, donde estaban archivados todos los pelos que había ido perdiendo con el paso de los años y que le servían para calcular los estragos cotidianos de la vejez, como si descontara el cabello que faltaba para la muerte. «No te alarmes», le decía mi padre, con su optimismo incorregible. «La vida es bella mientras lo que se te caiga de la cabeza sea el pelo y no las ilusiones». Mi madre le respondía burlándose de él y pasándole la mano por la calva reluciente. «Claro», se reía. «Tú dices eso porque a ti sólo te quedan las ilusiones».

Frente a la luna manchada del espejo, se ajustó el moño con una redecilla de seda. Estaban empezando a hinchársele las aletas de la nariz, señal premonitoria de peligro, y se dispuso a salir del dormitorio, pero antes de hacerlo se inclinó sobre mi hermana, que seguía bordando en silencio, y le dio un beso en la frente.

Se irguió en seguida, como el mástil de las goletas, oronda y altiva, y contuvo la respiración por un momento para que se le juntara en el alma el extracto completo de la rabia que tenía. Sacó la comba del pecho y se le achicó la cintura, como siempre hacía en esas ráfagas de indignación para que todo el mundo supiera que estaba furiosa y que nada ni nadie podía vencerla, y cada quien recordara que en esas embestidas de cólera no era prudente atravesarse en su camino. Luego midió a mi hermana desde la altura de su mirada de fuego y salió al patio con la determinación de un buque que rompe la niebla. «Se desbocó el caballo», solía decir mi padre, apartándose, cuando la veía venir con esos berrinches de cólera.

Mi hermana, ruborizada, se pinchó el dedo con un alfiler. Chupó la gota de sangre mientras pensaba si en verdad, como lo juraba Mayito Padilla haciendo la señal de la cruz, mi madre tendría la virtud sobrenatural de leer las cavilaciones ajenas. Pero no era cierto. Lo único que ella hacía era mirarlo a uno al fondo de los ojos y juntar los pedazos dispersos de sus propias suspicacias.

Salió a la claridad del patio, respirando como una leona acorralada, y vio a mi padre en el jardín. Estaba al pie de la paredilla de cemento, agrietada por la canícula, dándoles querencia a sus canteros de flores. Cultivaba también un naranjo estéril pero fragante y un papayo macilento con cara de idiota que sin embargo paría las papayas más sabrosas de toda la región. «No hay feo sin gracia», decía él acariciando el papayo, con cuya leche pegajosa curaba las asmas y los catarros de sus hijos. Por los días en que le entró la ventolera de lo que llamaba «los secretos más recónditos de la botánica experimental», se le dio por sembrar unos injertos de corteza de aguacate con semillas de marañón.

—¿Qué pretendes conseguir con eso? —le preguntó mi madre.

—Nada nuevo —contestó él—. Pero imagínate lo cómodo que sería comerse un aguacate con la semilla por fuera.

Mi madre meneó la cabeza con piedad. Supuso que ya no sólo era un poeta malogrado por una tienda de telas, sino que, además, se estaba volviendo loco de remate. Ella, con su afortunado olfato de adivina para juzgar a las personas, había sospechado desde los primeros tiempos que aquel hombre nebuloso y sin un sentido realista de la existencia, tan retraído que tenía que esconderse detrás de las puertas para cantar sus canciones árabes con una voz susurrante, más una visible tendencia a la vida espiritual y a la contemplación de los astros, no era en realidad un aventajado comerciante fenicio, aunque lo intentara para ganarse el sustento de su familia, sino un fantasioso indefenso que se había extraviado entre los artificios del mundo, tal como lo delataba su bigote de emperador recargado de gomina, quimeras y utopías.

Comoquiera que fuese, la cruza del marañón y el aguacate no produjo nada memorable; apenas un árbol corpulento y medio inútil que daba unas guayabas fofas, blanquecinas, insípidas y sin semillas, grandes pero sin ninguna gracia, ni tan siquiera voluptuosas, a las que mi madre les puso el nombre infame de «guayabas bobas». Se desplomaban en el preciso instante en que estábamos sentados a la mesa, almorzando en el comedor del patio, porque en los meses hirvientes del verano el calor nos desterraba sofocados de la casa.

—Qué curioso —decía mi madre, con el más sangriento de sus sarcasmos, sacando las guayabas del plato—. Esta es la única fruta del mundo que sabe a sopa de pescado.

Mi madre era una mujer intrépida y resuelta, cuyo moño de nobles evocaciones románticas podía provocar comentarios infundados sobre la armadura de su carácter. Era temeraria pero sin neurastenias, con un temperamento que no formaba parte de su equipaje de huérfana cuando llegó del Líbano con aquella bolsa de pan reseco, que debió de adquirirlo en la mesa de jugadores de póquer y sobre todo en la batalla diaria por sobrevivir en un ambiente desconocido, escaldada por el calor, abanicándose con un pedazo de cartón basto.

Lo que mi hermana no pudo concebir esa tarde, como tampoco lo percibió nadie en el transcurso de los sesenta años que pasaron en este pueblo, porque sólo vino a hacerse notorio ahora que mi madre ha muerto y mi padre ha comenzado a secarse como un sarmiento de su mata de uvas, es que el amor que se tenían era genuino y sólido porque no nació de la gratitud sino de sus propias pasiones y de la capacidad que tenían para sorprenderse cada día el uno al otro. Estaban unidos por una cadena delgada pero irrompible. Juntos aprendieron el idioma extraño que los retaba a muerte y juntos enfrentaron los tiempos de escasez y sufrimientos, como habría de ocurrirles después del incendio de marzo. Juntos cantaron, lloraron y también rieron. Juntos vivieron alegrías y desencantos. Juntos se toleraron sus defectos, aunque mi madre perdiera

varias veces al día la paciencia con él y sus excentri-
cidades.

—Es un poeta sin ambiciones —decía, con la resignación de quien acaba de descubrir una enfermedad incurable.

Mi padre, que comprendía el desafuero, callaba,
pero yo supe siempre lo que estaba pensando para su
caletre. Una mañana de lluvia en que me llevaba al
colegio del profesor Canabal, cargado en brazos para
que no me ahogara en los charcos de la calle, me dijo,
sin un asomo de reproche:

—Tu madre es una buena mujer, aunque crea que
los pájaros también deberían venderse. Ella no sabe
que un filósofo chino decía que la vida no es un negocio sino un arte.

Ahora que vivo en la serenidad de los muertos, y
dispongo de tiempo suficiente para dedicarme a la
reflexión y la sabiduría, lo pienso bien y me parece
que ambos tenían razón. Esa diferencia de personalidades, lejos de separarlos, fue el secreto de su vida
larga y dichosa en aquella aldea feliz que no queda en
ninguna parte. Por eso mi padre pensaba que los secretos hay que guardarlos con el mismo sigilo con
que se guardan los sueños. «Si los ocultas bien», me
dijo una vez, «nadie se siente lastimado».

En cambio mi hermana Yamile, que suele ser
desavisada y supone que la perspicacia es una planta
trepadora, jamás logró desenredar esas minucias de
la vida, ni tampoco tenía por qué saber cómo ni cuándo los vínculos de la ternura empezaron a volverse

amor. Yo vengo a saberlo ahora porque los muertos lo sabemos todo: fue la noche distante en que los dos regresaban de venderle una toalla a Jacinto Negrete en su rancho de la manigua.

Mi madre tenía los muslos en carne viva por el bochorno del monte y los bamboleos de la mula y él la consentía con amor y bicarbonato. En esos días andaban vendiendo sus telas de colorines y su joyería de abalorio en un cofre de madera cerrado con una llave que mi madre cargaba entre los senos, atada al ajustador con un pedazo de cordel. Regresaban a la semana siguiente, todavía con las mataduras de las semanas anteriores que le ardían por el sudor áspero que le empapaba las enaguas, refrescándose en la transparencia de los arroyos, sin detener la mula. Cobraban las cuotas mensuales de la clientela, sacando tiempo para bautizar muchachos de los campesinos que se habituaron a verla pasar por los caminos, que aprendieron a cogerle cariño y la llamaban la Turca, pese a las protestas de mi padre. Muchas veces, en aquellos primeros años de penurias, durmieron a la intemperie, bajo las estrellas, como los hombres primitivos, entre los pastizales y el olor de la boñiga, cantando a dueto las canciones inocentes de su juventud, hablando con los capullos como si fueran sus nietos y acariciando los bejucos, oyendo pasar los conejos y roncar la mula a su lado, vigilando de ladrones los fardos de mercancías. En esas noches de iniciación, cuando él se quedaba dormido contando los luceros sobre su cabeza y siguiendo la ruta de las constelaciones, mi madre lloraba a solas la nostalgia de su tierra y la ausencia de las amigas que se habían quedado en el valle de la Bekaa, mientras ella comía animales que nunca había visto antes, ni vivos ni muertos, y peleaba cada centavo con sus deudores retrecheros en un lenguaje que apenas entendía a saltos, salvo las malas palabras, que fueron lo primero que se aprendió.

—Cuando llegué a este pueblo —diría después con orgullo, sentada en su baño de porcelana—, ni siquiera distinguía las letras del abecedario. Pero nadie me pudo engañar, ni la mula fue capaz de matarme.

Lo cierto es que cuando su barco atracó en las escolleras de Puerto Escondido, y ella se asomó con la bolsa de pan rancio en la mano, se extraviaron en el camino de regreso a la casa. Mi padre iba cantando con arrobo una canción de amor y se distrajo de la ruta. Mi madre miraba en torno suyo con unos ojos de pasmo, extasiada con las lechuzas que alzaban vuelo en busca de un refugio seco para la dormida y con las hicoteas de agua dulce que nadaban en el lodazal. El burro se quedó atollado. Ella montaba a traviesa en el anca y él llevaba su lastimosa maleta en las piernas. Encontraron de nuevo el sendero correcto cuando ya estaba cayendo la prima noche, y un hombre descalzo, que arreaba dos cerdos, pasó a su lado.

—¿Por dónde queda San Bernardo del Viento? —le preguntó mi padre.

—Sigan por ahí —dijo el hombre, alzando la mano— y encontrarán la imagen de un santo que tiene un ojo más grande que el otro.

—Gracias —le dijo mi madre, con su idioma acabado de estrenar.

El hombre siguió su camino.

—Detente —le dijo mi madre, saltando del burro—. Quiero quedarme aquí esta noche.

Mi padre, cuyo único negocio verdadero era la ciencia de descifrar los buenos sentimientos del corazón humano, la tendría presente para siempre, hasta la hora de la muerte, tal como la vio en aquel instante del primer anochecer, bañada por el sol de los venados, entre la alta hierba, con sus ojos apacibles que contemplaban deslumbrados la hora azul del universo en que las cosas brillan más, según dicen los poetas.

—¿Por qué hay tantos colores en la luz? —le preguntó ella.

—Porque en esta tierra —le dijo él— la luz es el color.

Una polilla vagaba en la oscuridad, dejándose guiar por el titileo de una luciérnaga. La luciérnaga parpadeó temerosa en la cara de mi madre. En alguna parte, una chicharra chillaba sin consuelo. El viento de la noche traía de las marismas cercanas el olor de las caracolas y de los manglares que estaban madurando. Mi madre apoyó la cabeza en el hombro de su marido. Había un lucero solitario en la mitad del cielo.

—Es la cruz del sur —le dijo el astrónomo que dormía en su alma.

—Y nosotros dos, aquí, solos —dijo ella, con una malicia que le iluminó la mirada.

—Más el burro —dijo él.

Rieron con ganas. Mi madre se quitó la ropa y los zapatones de monja. Mi padre hizo lo propio. En el cuenco de las manos trajo agua del arroyo cercano y le lavó a fondo la cabellera frondosa, que estaba hecha una sopa de sudor.

—Un músico de por aquí dice que el amor es un tigre dormido —dijo él, nervioso—. Pero te advierto que yo no soy muy hábil en esas piruetas.

—Yo menos —dijo ella—. Soy virgen.

Se sintió más seguro de sus propios movimientos y entonces la sentó desnuda sobre sus piernas, con una lentitud calculada, para no alarmarla ni maltratarle la piel trastornada por el calor, y le acarició con dulzura la pelusa de seda que le crecía a lo largo de la columna vertebral, hasta el final de la espalda. Le peinó con las manos el cabello húmedo, la hizo tender en la hierba, le cerró ambos párpados con la punta de los dedos, la besó en los ojos y luego la poseyó con una acometida de paciencia y con una pasión de buena índole, pero sin altanería ni arrebato, como si estuviera desactivando un explosivo o tejiendo con moderación una larga tela interminable. Cuando volvió a abrir los ojos, mi madre no sentía dolor alguno y sonreía con placidez. El mundo resplandeció a su alrededor. Un caballito del diablo, con las alas abiertas, estaba mirándola desde lo alto de una rama.

Mi padre puso la cabeza en reposo sobre el pecho de ella, cubriéndole los senos que se alzaban soberbios, y se entorchó sobre su vientre. En ese instante le descubrió un lunar en forma de estrella que tenía junto a la pelvis. Bebió con ansias de sediento una gota de sudor salado que le bajaba por el ombligo. Mi madre, que seguía sonriendo entre los olores fragantes de la noche, pensó que las apariencias son un fraude porque nadie se habría imaginado que los furores que ella acababa de disfrutar pudieran anidarse en el corazón de su marido, a simple vista tan ajeno a esas maromas y jeribeques.

—El tigre dormido eres tú —le dijo.

Acomodaron la maleta en el suelo y la usaron para recostarse. Al amanecer los despertó una llovizna menuda y fresca que les había lavado todas las impurezas. Ambos estaban desnudos y siguieron amándose sin fatiga.

Desde esa noche no volvieron a montar en burro. Con los primeros centavos de sus incursiones de mercaderes por las veredas y rancherías compraron una mula arisca, la misma que estuvo a punto de matarla la noche de infierno en que regresaban de la casa de Jacinto Negrete. Mi padre fue el único testigo de lo que había ocurrido. Mi madre jamás quiso hablar sobre el caso con nadie y ambos se llevarían el secreto a la tumba, por mucho que preguntaron e insistieron los vecinos en los velorios del pueblo o en el atrio de la misa dominical, desde la madrugada en que la vieron llegar con los brazos destrozados, más muerta que viva, a la casa del doctor Lepesqueur.

Agotados por el calor y los trajines, tras una jornada extenuante de ventas y cobranzas, después de recorrer tres caseríos perdidos en los pedregales, almorzaron un guiso pegajoso de armadillo en el rancho de una comadre. Mi madre había mirado la comida con espanto, pero su marido la persuadió hablándole en árabe para que la anfitriona no se enterara.

—Un desaire —le dijo— es más dañino que una diarrea.

Se dispusieron para el descanso a medio camino entre la montaña y San Bernardo del Viento. Hicieron noche en un descampado del monte. Mi madre se tendió en el pasto y se tapó con la sábana blanca que cargaba en las alforjas. Mi padre hizo una cena frugal de pan ácimo, las últimas aceitunas que les quedaban y unas bolas de queso de cabra. Ella, en cambio, no quiso comer. Sentía náuseas, le dolía el estómago y empezaba a sufrir la devastación de los primeros borborigmos.

—Te advertí —le dijo desde el suelo— que ese almuerzo me iba a matar.

Mi padre masticaba en silencio, siguiendo en el cielo el viaje de Orión, y vio una nube negra en forma de caballo. Después desenjalmó la mula y se echó a dormir al pie de su mujer. Pero apenas estaba cabeceando el primer sueño cuando se desempedró el cielo, con truenos y relámpagos. El viento rugía entre las ramas. A causa de la brisa, llovía de una manera diagonal. Un rayo desmigajó un árbol a su lado. Asustada por el estruendo, la mula salió enloquecida por la pradera, tropezó con el cadáver del árbol y se despernancó sobre mi madre, que intentaba guarecerse bajo la sábana, y ambas rodaron por el pasto. Le golpeó un brazo hasta despellejarlo y le rompió tres dedos de la otra mano. Mi madre lloraba de dolor y de vergüenza. Una sanguaza rojiza revuelta con agua de lluvia le ensopó el vestido.

—Quiero obrar —dijo.

Mi padre levantó a su mujer con pausa y dulzura, para no lastimarla más de cuanto ya estaba. Entonces, tomándola por la cintura, la llevó al otro extremo del desfiladero. Alumbrándose a duras penas con la luz de la luna, que empezaba a salir sobre ellos mientras la lluvia amainaba, mi madre se acuclilló entre la maleza. Lloraba ahora con un hipeo de abatimiento y tenía los ojos tristes bañados en lágrimas. Lo miró suplicante.

—¿Qué te pasa? —dijo él.

—Que no puedo bajarme los calzones —contestó ella—. El dolor no me deja mover los brazos.

—Para eso estoy yo aquí —dijo él, con el mismo acento de ternura que ponía en sus poemas.

Se acercó a ella, le dio un beso en la frente para quitarle dramatismo a la escena, le bajó los calzones con parsimonia hasta que le llegaron a las rodillas y le puso una mano en el hombro, con la suavidad de quien pone una rosa, para que se agachara de nuevo. En seguida le dio la espalda.

—Voy a ver si la mula está bien amarrada —dijo él con disimulo, alejándose, para que su presencia no la hiciera sentir más apenada.

Rasgó un pedazo de la sábana húmeda, que estaba sobre la hierba, y volvió adonde se encontraba su mujer.

—¿Terminaste? —le preguntó

—Sí —dijo ella, con una vocecita asolada por el pudor—. Pero ahora no puedo limpiarme, ni tengo con qué.

—Para eso estoy yo aquí —repitió él, con el énfasis de delicadeza más grande de toda su vida, y le mostró en alto el trozo de sábana como si enarbolara un trofeo.

La auxilió para incorporarse y la atrajo hacia él. Cuando estuvieron cara a cara la abrazó con cuidado, sintió en la nuca el vapor palpitante de su respiración y le fue deslizando la tela por la espalda, como si le enjugara las últimas gotas de lluvia. Le acarició la piel con la yema de un dedo, para tranquilizarla, mientras le ponía a tientas el trapo entre las nalgas. La limpió a fondo pero sin apuros, varias veces, con el mismo primor de un orfebre, y mientras la limpiaba le cantó al oído aquella canción que aprendió de joven en su pueblo remoto:

Yo sí tengo una compañera,
una compañera que me quiera...

Seguía cantando cuando se arrodilló para subirle los calzones y le bajó los redondeles del vestido. Ella llevaba ceñido, como siempre, el cinturón de capataz en que guardaba el dinero de los cobros. Bajo la palidez de la luna que había seguido a la tempestad, con los brazos en alto adormecidos por el hormigueo del dolor, tan similar a la estatua de Bernardo que sobrevivió al naufragio, mi madre se quedó inmóvil en la noche. Mi padre le tendió la mano, haciendo una pirueta galante, para que caminara con él.

—Qué humillación —musitó ella, por fin, y empezó a llorar de nuevo. Quiso taparse la cara pero no pudo, por el dolor.

—¿Humillación por qué? —le preguntó él.

—Porque tú eres el primer hombre que ha visto mi propia mierda —dijo ella.

—Esas palabras no se dicen —le dijo él—. Y este será nuestro secreto.

Le puso un dedo en la barbilla, para que levantara la cara, y la miró al fondo de los ojos.

—Además —le dijo—, no se te olvide nunca que tú eres yo mismo en otro cuerpo.

4

EL INCENDIO

Desde la noche en que la mula estuvo a punto de matarla, mi madre resolvió que ya era hora de cancelar aquellas excursiones azarosas por la montaña. Supo, además, por los mareos y antojos que la perseguían, que estaba preñada de su primera criatura y no era cuestión de andar por el mundo trotando en una bestia. A partir de ese año tuvo siete embarazos y parió cuatro hijos.

Mi padre respiró aliviado con la decisión de quedarse en el pueblo. Fue entonces cuando alquilaron esta casa de tablas, que había sido el primer despacho de la alcaldía, construida en una esquina, a dos cuadras de la plaza, calle de por medio con el dormitorio donde habían de matar al hombre que tocaba el violín y frente al colegio del profesor Zapata, que de día era un centro educativo y de noche se transformaba en una taberna de arrabal, los pupitres de los estudiantes se convertían en mesas para los borrachos y en el fonógrafo sonaban las canciones rancheras y los corridos mexicanos.

Marido y mujer se pusieron de acuerdo sin mayores complicaciones en la compra de la casa porque tenía un patio grande, un arriate de tierra abonada con boñiga para que mi padre sembrara sus matas de monte y un espacio suficiente para excavar el aljibe que les permitiera disponer de agua abundante en los tiempos de sequía, sin necesidad de comprar un burro para ir a buscarla al río. Recogían el agua para el consumo hogareño en una tinaja de barro cocido, en lebrillos de porcelana antigua y calabazos de totumo, aunque tenían que echarle un terrón de alumbre para podérsela beber y para cocinar. Bañarse, en cambio, era una comparsa de carnaval. En los primeros tiempos, mi padre y las gentes del pueblo que no supieran nadar, y que por tanto no se atrevían a lanzarse en la corriente del río, tenían que esperar a que lloviera para poderse bañar como Dios manda. Abrieron canalones y zanjas para que las aguas llovedizas pasaran a la calle en unos manantiales espumosos. El agua de lluvia era fresca y pura, agua nueva, y la gente corría dichosa bajo los chorros y a las mujeres se les pegaba al cuerpo la ropa liviana, y quien tuviera ojos podía ver que no llevaban por debajo ni una combinación de tela que disimulara sus partes, de modo que hasta los varones que sabían nadar no regresaron al río y más bien terminaban jugueteando bajo los aguaceros con la única intención de paladear el espectáculo. Era un contento ver a los hombres con la boca abierta, mirando aquel delirio de pezones pegados a la tela traslúcida, las travesuras que hacía el agua entre la pelambrera del vientre y las nalgas que saltaban al compás rítmico de la lluvia. La fiesta de la lujuria puso término cuando al carpintero Murillo se le ocurrió, en nombre del progreso, la desventurada idea de fabricar unos tanques cuadrados de madera para almacenar el agua. Eran tan útiles, y había tantos en el pueblo, que fue necesario marcarlos con los hierros calientes de las vacas para que no se perdieran ni hubiera más peloteras por los benditos tanques. En una marcada de esas, precisamente, un muchacho travieso le puso el hierro encendido en la barriga a Galileo Benito Revollo.

Por esa misma época sus parientes de Barranquilla le enviaban a mi padre los periódicos atrasados y en ellos descubrió que un crucigrama era el método más eficaz para explorar los entresijos de un idioma que le resultaba tan esquivo como el mercurio. «El mundo termina donde termina mi lenguaje», pensaba con desazón en esos días. Al cabo de los años tendría la autoridad suficiente para afirmar que *melancolía* es la palabra más bella de la lengua castellana, pero para llegar a esas conclusiones tuvo que recorrer un camino largo y espinoso. Al principio se indigestó tanto con la gramática, y su ansiedad por aprenderlo todo era tan desaforada, que confundía los plurales, se enredaba con los adverbios y se devanaba los sesos en largas tareas de escritura para diferenciar un gerundio de un participio activo. Un día de travesías por la montaña una muchacha rubicunda y risueña le brindó una taza de agua para mitigar la sed. Mi padre no sabía cómo darle las gracias. Recordó a tropezones una antigua galantería castellana.

—Jamás —le dijo— estuvió caballero de dama mejores servido.

En aquel tiempo de hallazgos y nuevas emociones vivió quince días a la deriva, hablando a solas y tratando de desentrañar el significado de la cuatro vertical, «caudillo de gente de guerra», de seis letras, y él creyó que la respuesta era *sultán*, hasta que el doctor Lepesqueur le hizo la obra de caridad de prestarle un diccionario de sinónimos que había comprado en sus años de prófugo, cuando andaba por el Caribe huyendo de los carceleros franceses, y así fue como mi padre vino a saber que existe la palabra *adalid*. Partiendo de ese acertijo, y en señal de gratitud cifrada, cada vez que se encontraba con el médico lo saludaba llamándolo «caudillo de gente de guerra, adalid de la causa perdida», pero el doctor jamás supo cuál era el sentido de ese jeroglífico, ni quiso preguntárselo, porque se conformaba con suponer que mi padre estaba más loco que él.

Los crucigramas escaseaban tanto en aquellos días que pagaba a sobrecosto las revistas que le revendían los peones que estaban de regreso, con una descomunal grabadora en el hombro, después de haberse ido a buscar trabajo en Venezuela. Mi padre resolvió guardar en el escaparate los crucigramas que ya había resuelto, siguiendo las recomendaciones que le hizo Filadelfo Montejo, el barbero del pueblo, un cojo de nacimiento, sanguíneo y sudoroso, que había bajado de la cordillera huyéndole a la violencia política y que sabía tocar la trompeta. Mi padre borraba con esmero las respuestas y dejaba pasar el tiempo, para que la memoria las olvidara, y volvía a solucionarlos con el entusiasmo restaurado. Se volvió tan experto en el arte de renovar crucigramas obsoletos que, a veces, cuando no se le ocurría la solución correcta, tenía que poner el papel periódico a trasluz para ver la marca etérea que había dejado la huella del lápiz. Así fue como aprendió a hablar con compostura y a escribir con propiedad. Acopió de esa manera un revoltijo enciclopédico de información inútil: nombre de los indios que habitaron en Tierra del Fuego, lienzo que se emplea para cubrir ventanas, corpúsculo reproductor de las plantas criptógramas, rey mitológico de Tebas, y el inevitable río italiano que tiene apenas dos letras, dos como el antiguo dios egipcio que fue tan poderoso y terminó por convertirse en un simple recurso para crucigramistas en aprietos.

Lo malo es que se entusiasmó tanto con los misterios del diccionario que abandonó las labores del jardín y no regresó a la tienda. Se aprendió las palabras más exóticas antes de aprenderse el vocabulario simple de uso casero, y cuando le entraba la ventolera gramatical hablaba como los literatos de los libros.

—Ese turco es un caso perdido —decía Mayito Padilla—. Todavía no sabe lo que quiere decir «sopa», pero ya se sabe la misa en latín.

—Yo no soy turco —le reviró él, ultrajado—. Soy un cristiano libanés, a mucha honra, y usted es una tabarrista, para que lo sepa.

Mayito Padilla estalló en una carcajada saludable y ruidosa.

—Lo que no entiendo no me ofende —le dijo.

—Entonces, señora, debo colegir que a usted no la ofende nada —le replicó con una ironía perversa y una dignidad altiva que nunca antes se le habían visto.

—Es que esas son las únicas dos cosas que lo sacan de quicio —dijo mi madre, al enterarse del incidente—: que le digan turco y que se burlen de su diccionario. Y Mayito Padilla se las dijo ambas de un solo golpe.

A las mil y quinientas algún vecino tuvo la idea desventurada de regalarle a mi padre unos pergaminos amarillentos que habían escrito los frailes casposos del monasterio de San Millán de la Cogolla en los amaneceres del idioma, cuando los pronombres apenas balbuceaban y los adjetivos todavía eran igualitarios y humildes. Fue la hecatombe. Durante un año entero dio vueltas por la casa, como un rehilete, hablando a la manera sentenciosa de Don Quijote de la Mancha y recitando los cantares medievales con sus papeles bajo el brazo.

—Déjenlo en paz —nos decía mi madre, aparentando tolerancia—. Déjenlo, que con esas chifladuras no le hace mal a nadie.

Pero por dentro estaba iracunda. «Es como darle caramelo a un diabético», había dicho. Revolvió cielo y tierra para averiguar quién le había regalado esas locuras a su marido y hasta ofreció una recompensa al que le suministrara una pista fidedigna sobre los autores. Todo fue inútil porque si alguien estuvo a punto de prestarle ayuda, se abstuvo de hacerlo al ver los espumarajos de rabia que le salían por las comisuras de la boca.

—No se metan en ese problema —aconsejaba Mayito Padilla, sin que nadie se lo hubiera pedido—. Miren que esa mujer parece un toro en corraleja.

Mi madre alimentó la sospecha de que el culpable había sido Filadelfo Montejo, quién más, si era liberal y montañero al mismo tiempo, barbero y escritor de crucigramas, y músico, de remate, como todos los ateos del mundo.

No fue él, sino Generoso Venturolli, el que le obsequió los pergaminos a mi padre. Los había encontrado en un arcón español en el zarzo de su casa de Puerto Escondido. Venturolli era un aventurero italiano que llegó a la comarca a comienzos de la bonanza en las plantaciones de algodón. Contrabandista de porcelana y armas, Generoso Venturolli era un filibustero de tierra que se llevaba a las muchachas campesinas en flor, pagaba por ellas a sus familias, las empreñaba en un mes y luego las mandaba a trabajar como cocineras en las casas del pueblo. Las aldeas se llenaron de hijos espurios suyos, que tenían sus mismos ojos azules, tan diáfanos que uno podía leerles sus pesares mirándolos con fijeza al fondo de las pupilas, pero heredaron la piel curtida de las madres y sus facciones indias. Con el paso de los años se mudaron a los pueblos vecinos y fueron el tronco de unos villanos rubios y enormes, hermosos como su padre, silenciosos y temibles como él, que poblaron los villorrios a lo largo del río, desde su nacimiento en lo alto de la montaña hasta la orilla del mar.

—Italiano tenía que ser —exclamaba mi madre cada vez que venían a contarle una tropelía nueva de Generoso Venturolli.

Lo que mi madre no sabía era que ese italiano de genio levantisco se había enamorado de ella, y sólo vino a descubrirle las intenciones, con su olfato implacable, el día en que cogió la costumbre de presentarse en la tienda tres veces por semana y sin un motivo aparente. No compraba nada o se limitaba a preguntar por objetos insólitos, como el repuesto para una bomba de agua o una camisa de corbata, imagínese usted, en aquel pueblo ardiente donde nadie había visto una corbata desde la visita del último gobernador, cuando armaron el hospital prefabricado que llegó de Inglaterra. Después se sentaba en el alto pretil de la calle, se quitaba las abarcas de cuero inflexible y se la quedaba mirando, con sus ojos cristalinos bajo unas cejas encrespadas hacia arriba, como las del diablo de las litografías, callado, hasta que se iba el sol, y entonces, sin despedirse, pero suspirando, volvía a montarse en su caballo, que era casi tan grande como él, para regresar a Puerto Escondido por el camino real del cementerio.

La hora de la maldad llegó puntual en aquella noche de marzo. La brisa fresca de barlovento soplaba desde el mar y zumbaba en los techos de palma. Marzo es el mes en que el agobio del verano empieza a ceder y los vientos alegran la vida. En el cine del señor Hildo Luna estaban presentando ese día una película de Tarzán, y yo, en el dormitorio, podía escuchar los rugidos de los leones arrastrados por la otra brisa, la que venía del río. En la calle del teatro la señora Milla vendía su legendario refresco de limón y a su lado mi comadre Espíritu Julio fritaba empanadas de maíz con picadura de papa y tomate. A esa hora mi madre se había tomado una tisana caliente porque estaba resfriada, y descansaba en una duermevela de fiebre, cuando un muchacho vino a decirle, de parte de Generoso Venturolli, que la estaba esperando con su caballo en la puerta del salón de cine.

—Está borracho —dijo el mensajero— y dice que si usted no va, él es capaz de cometer una barbaridad.

—Dígale —respondió mi madre— que, fuera de mi marido, todos los hombres son unos pendejos.

Rodeado por sus cuatro capataces, Generoso Venturolli agarró uno de los tizones en brasa viva del fogón de mi comadre Espíritu Julio y, con la mano ardida y sangrante, entró al cine, subió los escalones de la caseta del proyeccionista, sacó a Genaro Arepa, que se había quedado dormido apenas empezó la película, como todas las noches, y le metió fuego a la cinta que rodaba en los carretes. El celuloide no había terminado de arder cuando las chispas volaron con el viento. La gente corría en estampido, tratando de salir del corralón, y en la batahola le rompieron una pierna a la señora Carmita Behaine, que no cabía por la puerta y cayó al piso dando alaridos de dolor, pero en sus convulsiones seguía comiéndose las empanaditas calientes que acababa de comprar.

El candelazo rojo quemó medio pueblo aquella noche: cuarenta y tres casas en total. Ardieron las cosechas y se quemaron también los pergaminos gramaticales de mi padre. «Gracias a Dios», dijo mi madre. Generoso Venturolli, más embrutecido por el despecho amoroso que por la borrachera, y tan consumido por el odio que ya no escuchaba razones, se quedó emparedado en la caseta y murió por asfixia y quemaduras. Nadie reclamó sus despojos, ni sus capataces ni sus incontables hijos naturales, y la alcaldía tuvo que darle cristiana sepultura con los fondos destinados a los muertos de mogollón. No pusieron una lápida, ni siquiera un cartón con su nombre, y una comisión de personalidades notables, encabezada por el profesor Canabal, se trasladó a Puerto Escondido con el propósito de desmontar la casa del aventurero italiano, teja por teja. Los restos de los materiales de construcción se los entregaron a los damnificados más pobres. Cuando ya no quedaba ni un clavo de aquella hermosa casa blanca, que tenía una larga balaustrada frente al mar, echaron sal sobre el solar para que no volviera a crecer la hierba y ni las alimañas se acercaran a ella. Sus propios descendientes, los bastardos de pelo amarillo y ojos azules, se quitaron el apellido de su padre, salvo uno que se mudó a Bogotá, instaló una próspera fábrica de lencería y preservó la continuación de su especie. El dolor colectivo había resuelto que los hombres olvidaran para siempre a Generoso Venturolli, no vaya y sea que a algún cronista sin oficio se le ocurra rescatar su memoria para el futuro.

—Lo que hizo ese animal italiano —dijo el doctor, con su apego por las frases viejas— fue peor que un crimen. Fue una estupidez.

No llueve en marzo. Pasaron los días y el aire de San Bernardo del Viento seguía teniendo el olor lúgubre de la chamusquina, que es el olor inconfundible de la desolación y las ruinas. La gente dormía en descampado, al lado de sus trapos y sus cucharas de palo. Pequeñas fumarolas grises salían de los escombros. Con excepción de Venturolli, los únicos muertos, por fortuna, fueron tres gallinas y un cerdo del corral de mi tía Filomena, pero a causa de ellos el viento lo acosaba a uno con una triste fragancia de sancocho funerario.

Aún estaban frescas las cenizas de la catástrofe y una tarde, mientras terminaba de recibirle la confesión a una anciana santurrona que había comido chicharrones un día de abstinencia, el padre Agudelo dejó de dormitar sus sueños atrasados y entendió de un solo leñazo que en el desastre del incendio el pueblo perdió enseres y viviendas, pero también perdió la inocencia.

«Ahora existe la maldad», meditó, al tiempo que la beata recitaba su penitencia. «Ya nada volverá a ser igual en esta tierra». Reconstruyó de memoria los pedazos de varios secretos dispersos que había oído desde marzo en el confesionario. Buceando entre sus recuerdos descubrió que los vecinos se habían vuelto desconfiados y envidiosos. Había inquina entre la gente. Abundaban los chismes públicos sobre infidelidades y miedo, engaños y mentiras. Mayito Padilla no daba abasto para divulgar los rumores frescos. Crecieron el rencor y las rencillas. «La gente anda armada y con el ánimo dispuesto a la pelotera», se dijo el padre, inquieto. Las familias habían empezado a dormir con las puertas cerradas, cuando antes del incendio las dejaban abiertas para que entrara el aire nuevo de la alta noche y los viajeros cansados tuvieran una sala donde sentarse. Había mendigos en la calle y los hombres laboriosos de antaño se habían vuelto pedigüeños. Al padre Agudelo vinieron a contarle que la señora Angermina ya no tenía necesidad de importar rameras porque ahora las conseguía entre las hijas pelangonas de sus propias comadres. Le dio la absolución a la anciana pero no pudo evitar un recuerdo de Generoso Venturolli carbonizado en la sala de cine. «La vida quizás no está hecha para todos los seres humanos», pensó el padre.

Por esos mismos días mi madre también detectó los estragos que el incendio de marzo estaba ocasionando en su familia. Mi padre y ella habían logrado salvar la casa, que ya era propia, empapándola con el agua del aljibe y untando tierra húmeda en las paredes para que las llamas no pudieran pasar. Pero la indigencia de los lugareños se había vuelto tan grande que las ventas de su tienda se desplomaron y, por consiguiente, crecieron los deudores remisos que ella anotaba con su primorosa caligrafía árabe en un viejo cuaderno escolar.

Fue por esa época de estrecheces cuando ocurrió el suceso del perro de Lamparita. Su amo era un hombre enteco y lloroso, tísico, casi harapiento, de facha sumisa, con una dulce cara de tristeza que parecía esconder las más grandes desgracias de este mundo. Le pusieron ese apodo porque tenía los ojos estrechos y parpadeaba como un mechero al que se le está acabando el gas. Se ganaba la vida con trabajos menores de menestral, ocupaciones de ocasión, botando basura, encalando casas con una escoba, drenando las pozas de los sanitarios, asoleando arroz en los patios y cargándole la maleta del muestrario al agente viajero español que surtía las tiendas y acababa de llegar en la lancha de Cartagena de Indias. Nunca se le conoció familia, mujer o hijos, ni parientes. Vivía con su perro, una especie de pantera de piel aceitosa y orejas puntiagudas, en un choza apenas más holgada que una pajarera, al lado de la carpintería del señor Murillo. El perro lo seguía dondequiera que iba, trotando por el pueblo, husmeándole los fondillos rotos. Los dos comían en el mismo plato, y no es que le diera las sobras al animal, sino que compartía con él lo mejor de las vituallas que le regalaban por sus tareas domésticas. Lamparita desapareció el mismo día en que comenzaron a perderse las mercaderías de los ventorrillos. Del depósito de mi padre se esfumaron dos racimos de plátano, seis cocos y un queso del señor Fosforito, cuatro frascos de jarabe de la botica y casi un cuarto de res de la carnicería del viejo Abdala. Enterado de los hechos, el policía Cárcamo, pariente de medio pueblo y compadre del resto, que blandía un respetable bolillo de guayacán y era tan pobre que no disponía de armas y tenía que pintarse un revólver con tiza en el muslo del pantalón verde, inició las investigaciones de rigor en esos casos. Sus pesquisas lo obligaron a seguir al perro, con el sigilo de un detective avezado, hasta que lo vio entrar en el rancho llevando en el hocico una bolsa de azúcar que se había robado en la casa de la señora América. El policía encontró a Lamparita más muerto que vivo, no tanto por las dolencias como por la vergüenza, tirado en un catre a causa de una recaída en su tuberculosis de juventud, y al pie del camastro estaban amontonadas las propiedades perdidas: el queso al lado de la carne, los plátanos alineados y el azúcar junto a una libra de café molido. El perro se enfrentó al policía y le peló los dientes, a pesar de la amenaza del manduco. Lamparita tuvo que llamarlo al orden, con una voz apagada, y le explicó a la autoridad lo que había ocurrido, mientras juraba por lo más santísimo que él nunca le había enseñado a su perro semejantes artimañas. El policía cargó con la mercancía, deshizo el camino andado por el animal y fue devolviéndole a cada quien lo que le pertenecía.

—Manda a decir el señor Lamparita —decía el policía— que se está muriendo de la pena, pero no fueron ideas de él, sino cosas del perro.

Nadie quiso recibir la comida que Cárcamo traía de regreso, muy ufano por el éxito de su misión, y se la devolvieron al enfermo con el mismo policía. Cuando por fin logró restablecerse de sus quebrantos, el señor Lamparita fue de puerta en puerta a presentar sus excusas, seguido del perro que llevaba pegado a la pata. Con reparaciones y estucos pagó hasta el último centavo de lo que no se había comido. Las víctimas no se atrevieron a rechazar su ofrecimiento y dar por cancelada la supuesta deuda, porque no se trataba ya de un asunto de hambre o de centavos, sino de un atributo mucho más respetable, que es la dignidad dc un hombre. A mi padre, por ejemplo, le restituyó el valor de los plátanos ayudándolo a podar los árboles del patio. La pantera de lustrosa pelambre se volvió un aforismo. Desde entonces, cuando se sabe de alguien que tiene un especial sentido de la lealtad, en San Bernardo del Viento dicen que es noble y bueno, como el perro de Lamparita.

La miseria desatada por el incendio estaba corrompiéndole el alma a la gente. El padre Agudelo, con la asistencia de la hermana Escolástica, ecónoma del puesto de salud, instaló una olla comunitaria para darle de comer al hambriento y cada quien trataba de colaborar en la medida de sus posibilidades y de su ingenio. El viejo Abdala regaló una arroba de carne semanal para los pobres y el doctor Lepesqueur hizo vocear en las esquinas, para que viniera a ser noticia sabida, que su consulta quedaba abierta a todo el que tuviera dolencias del cuerpo o del espíritu. El boticario Benito preparaba pócimas magistrales y remedios gratuitos para los niños, asaltados por el asma del humo y los catarros de la polvareda. La señora América organizó unas rifas incomprensibles, en las que el afortunado se ganaba un jarro de leche por cada cuatro que le compraran. Mi madre, sin decirle nada a nadie, ni siquiera a su marido, le prendió fuego en el fogón del patio al cuaderno de las cuentas atrasadas de la clientela, y hasta Mayito Padilla dejó descansar la lengua por unos días, se dedicó con devoción a las obras de piedad y se inscribió como enfermera voluntaria. Mi padre no pudo contener unas lágrimas de aflicción cuando se enteró de lo que le había pasado al profesor Canabal.

Era un hombre encorvado, y tartamudo además, que impartía clases hasta el mediodía, sin recreos ni interrupciones, y por la tarde cuidaba con guadaña y machete su huerta casera, frente al cementerio, en el camino del mar. Un día, con la temible palmeta en la mano, enseñaba mitología griega a su alumnado de muchachos descalzos y sin camisa.

—La bella Helena era la esposa de Menelao —estaba diciendo, cuando sintió que se le apagaba la claridad espléndida de junio y cayó fulminado al piso de tierra.

Ahí ardió Troya. El doctor Lepesqueur, llamado de urgencia por uno de los alumnos, le quitó la camisa y lo examinó a conciencia.

—Se cura con una taza de caldo y un pan —dijo, guardando el fonendoscopio—. Lo que tiene es una desnutrición crónica.

El profesor Canabal todavía estaba convaleciendo cuando envió a los padres de sus discípulos una carta que circuló por todo el pueblo, y que en nuestros días se conserva en la casa cural enmarcada como un documento histórico, escrita de su puño y con tinta de pluma, en la que anunciaba que no cobraría los costos de matrículas y pensiones, ya de por sí exiguos, hasta que vinieran mejores épocas y las familias tuvieran con qué pagarle.

—Es igual a Sócrates —dijo mi padre, al recibir la carta—. Ama a sus alumnos más que a su propia vida.

Corrían tiempos de desaliento. Se mezclaban las penurias con las bajas pasiones en aquella aldea unida por la calamidad y dividida por el encono. «El amor y la maldad vuelven a convivir bajo el mismo techo», pensó el padre Agudelo a la hora de recolectar las donaciones, y los hechos le dieron la razón el martes en que mataron al hombre que tocaba el violín.

Mi padre, que detestaba con toda su alma las cuatro operaciones aritméticas y no tenía ni la menor idea de los descalabros que se padecían en la tienda, cayó en la cuenta de que algo desusado estaba pasando cuando se sentó en el comedor del patio a almorzar la viuda de carne salada de los sábados. Esperaba disfrutar las viandas regadas con leche de coco y la ardentía del ají de pajarito. No hizo ni un solo comentario, pero reparó en que la carne era poca y los bastimentos escasos. Echó de menos la costilla fresca de vaca y ni para qué hablar de la pechuga de gallina rebosada en su propia grasa. Faltaba también el ñame espino, que él solía saborear con la lentitud de un helado, y no se veía por ninguna parte el plátano maduro, aunque había uno verde, raquítico. Una yuca solitaria flotaba sobre el tasajo con el aire penoso de un ahogado que sale a flote. Se dispuso a servirse, pero calculó que la comida no iba a alcanzar para su mujer y los tres hijos que ya le habíamos nacido.

—No tengo hambre —dijo, y volvió a voltear el plato—. Me está doliendo el estómago.

Procedió a leernos un cuento de Las mil y una noches, en su deshojada edición española, como hacía por costumbre a la hora del almuerzo. Sonriente, le hizo bromas a mi madre y fue a buscar un racimo de uvas de la viña que florecía en la pérgola del traspatio. Eran muy pequeñas y dulces, y mi padre les quitó las hojas y separó los frutos que estuvieran podridos o picados por los pájaros. Dividió el gajo con la tijera de podar y lo repartió entre nosotros para el postre. Dijo que tampoco quería uvas porque le seguía doliendo la barriga. Nos levantamos de la mesa, pero él permaneció en la cabecera, enfrascado en la solución de un crucigrama.

Mi madre tuvo que regresar al comedor, donde dejó olvidadas las llaves de la tienda, y fue entonces cuando vio lo que mi padre hacía. Se estaba comiendo con avidez las sobras de nuestros platos, los pellejos nervudos de la carne salada y las uvas que habíamos desechado.

«Al fin entiendo lo que quiere decir la gente cuando dice que hay que quitarse el pan de la boca», pensó mi madre, mirándolo sin que él la viera. «El amor consiste en morirse de hambre para después comerse los desperdicios sopeteados que deja la familia de uno». Sintió primero una congoja profunda al verlo devorar los restos del almuerzo como un perro sin dueño, pero después tuvo la certidumbre de que ese hombre taciturno no acabaría de asombrarla jamás. «Es un espíritu superior», pensó. De pie, a medio camino entre la sala y el comedor, confirmó con alborozo las razones que había tenido el primer día para quererlo con las entrañas, la tarde aquella en que lo vio por primera vez en su vida, con su ramo de margaritas desflecadas esperándola en el mar.

«Es tan distinto de Jacinto Negrete», pensó mi madre. «Mi compadre, con hambre, sería capaz de comerse a sus propios hijos». Recordó que Jacinto Negrete no tenía hijos, pero le pareció que de todas maneras el ejemplo era válido si los hubiera tenido. En seguida, como le había ocurrido al padre Agudelo, mi madre pensó contra su voluntad en

Generoso Venturolli. Habría preferido olvidarlo como si hubiera sido un mal sueño. En las semanas que siguieron al incendio de marzo, mi madre no podía dormir con placidez debido a una sensación de remordimiento que le provocaba angustias. Suponía, sitiada por la conciencia, que ella tuvo en las manos la manera de evitar la tragedia. A los pocos días comprendió, sin embargo, que era inocente de cualquier sospecha. «Uno no puede convertirse en rehén de las locuras ajenas», pensó. «Sólo era generoso de nombre, con su genio destemplado, y yo nunca en mi vida le di pie ni motivo para despertarle esos ardores. Nunca he tenido una coquetería ni con él ni con nadie, ni siquiera inofensiva. Los hombres son unos animales indescifrables». Metió la llave en el candado de la tienda. «Venturolli era un alevoso de mirada insolente. De cualquier modo no habría sido más que un compañero de fracaso en la cama, a pesar de sus ojos azules, el tórax estrecho, los huesos largos, el mentón hendido y las mandíbulas robustas. No podía ser un buen amante, aunque tuviera un hijo en cada monte, porque tenía los pies chiquitos y las manos cortas».

Mi padre, por su lado, sentía más aflicción que enojo por lo que Venturolli había hecho. A lo largo de su vida creyó siempre, y ahora más que nunca, que ningún hombre escoge la maldad a conciencia, ni como una elección calculada, sino porque la confunde con la felicidad o con los senderos equívocos que conducen a ella. «La búsqueda de la felicidad es un destino engañoso que enloquece a la gente», pensó. Mi padre creía que Venturolli no era más que una fatalidad del destino. «La gente se evitaría muchas amarguras si no viviera obsesionada con la felicidad. Venturolli fue siempre un infeliz. Un hombre no puede ser feliz si la vida lo obliga a ser cruel».

Cuatro meses después, cuando ya el vecindario estaba levantando de nuevo sus casas y sembrando los matarratones en la puerta, apareció el gobernador con la misma corbata de la vez pasada y unas cajas con chucherías. La comitiva oficial les regaló a las víctimas del incendio unos zapatos de la talla cuarenta y cinco, ambos del pie izquierdo, que habían mandado de caridad unas fundaciones de Estados Unidos.

—Imbécil —le gritó el doctor Lepesqueur al gobernador—. A la gente de este pueblo le caben los dos pies en un solo zapato gringo.

Repartieron también leche en polvo, que nunca se había visto en la aldea y que estuvo a punto de causar estragos porque se pegaba como cemento en la garganta ajena, y unos quesos holandeses de sabor amargo que sus beneficiarios cambiaban por queso blanco en la lechería de la señora América.

—¿Es que en este pueblo no hay nadie normal? —preguntó el gobernador, cuando se enteró de la causa del incendio.

—Imagínese —le respondió mi padre— que el más cuerdo soy yo.

—Díganle la verdad al señor gobernador —gritó Mayito Padilla, con un queso bajo el brazo, señalando a mi madre—. Díganle que esa mujer lleva el infortunio pegado al espinazo.

5

LA SANTA

En los días posteriores al incendio, cuando los habitantes de San Bernardo del Viento necesitaban con más urgencia un consuelo de alguien que les levantara el ánimo, la santa hizo su aparición como enviada por Dios. Mi madre, que estaba tejiendo su labor en la puerta de la calle, la vio venir a lo lejos, con las canillas polvorientas por la tierra de todos los caminos que recorría. Andaba a pie, sin desmayo, volteando de una parte a la otra y atravesando los pueblos que se arracimaban a la orilla del mar. Era una mujer alta y flaca, sin ninguna clase de garbo, de nariz ganchuda, como las brujas que aparecen en las láminas de los libros que el padre Agudelo guarda en la casa del curato. Tenía el aspecto patético de alguien a quien habían expulsado del mundo. Se apoyaba en un cayado de guayacán, lustroso por el uso, y la acompañaba un perro sarnoso, cundido de pulgas, que rengueaba de una pata trasera. No llevaba equipaje alguno y su atuendo era una túnica pobre de lona de marinería, amarillenta, atada con un cordón de franciscano. La tela, agitada por la brisa, dejaba ver las rodillas puntiagudas y unas lanas raleadas de bigote le sombreaban el labio. También se le veían peladuras en los codos y las plantas de los pies le sangraban cuando se quitaba las alpargatas. Tenía una mandíbula sin barbilla que se conectaba en línea recta con el cuello, dándole la apariencia lacrimosa de un pescado. En las mataduras del cráneo, del que se le iba cayendo el pelo, caminaban los piojos. Pero los ojos encendidos, grandes y de una llama viva, rompían la miseria del conjunto y le imprimían al rostro la fortaleza sobrehumana de los mártires. La santa cargaba el espíritu en la mirada.

La llamaban Santa Petrona Barroso del Niño Jesús de Praga, pero sus partidarios habían simplificado el asunto hasta identificarla con el nombre hogareño de la Niña Petrona. Su fama viajaba por los confines del río y se murmuraba con susurros de admiración que hacía portentos y maravillas. Atendía partos atrasados, desterraba el moquillo de las gallinas tocándoles el pico con el bastón, comía con los perros y echaba arengas políticas en los caseríos olvidados, seguida por legiones de labriegos sin tierra que iban rezando en un murmullo de sonsonete y la adoraban en silencio. También decían las malas lenguas que de noche se convertía en mosquito para meterse en los dormitorios y enterarse de los pormenores de la vida ajena, oyendo comadreos de alcoba y peloteras de amor debajo de las sábanas. No se sabía a ciencia cierta cuál era su origen, ni de dónde había salido aquella inaudita combinación de paladín, milagrera y chismosa, pero era de dominio público que de los pueblos por donde pasaba tenía que salir huyendo de la policía. Sólo se bañaba el Viernes Santo de cada año, a las tres en punto de la tarde, mientras Cristo estaba expirando, con una totuma y esencia de lirios blancos.

Acaudillaba la ocupación de fincas en disputa, justificándose con los argumentos más sencillos. «La tierra es del que la trabaja», exclamó con su vocecita de cornetín un domingo de mercado, en el atrio de la iglesia del pueblo de Palo de Agua, y ni la policía ni los capataces dieron abasto para contener a la borrasca humana que se metió en las haciendas. En los festejos de mayo pasado entró a la corraleja de Lorica y petrificó con la mirada a un cebú de setecientos kilos que parecía un buque de guerra. «Ven a mí», le dijo, poniéndole el báculo en el centro de la testuz, y el animal pavoroso empezó a ronronear como un gato, se acercó a ella y le lamió los pies cenicientos calzados con unas sandalias de fique. «La comida es del que tiene hambre», gritó luego, y la turbamulta de los zarrapastrosos que vendían en los palcos guarapo de caña y cocadas de ajonjolí se abalanzó sobre la torada, cuchillo en mano. Comieron hasta hartarse y el resto de la carne lo repartieron entre los más pobres del pueblo, que vivían en los árboles, en las riberas del cañito. Los cueros se los vendieron a unos buhoneros que fabricaban taburetes. Ese mismo día los potentados de la región le pusieron un precio a la cabeza de la santa y se vio forzada a emprender la escapatoria hacia San Bernardo del Viento.

La tarde de su llegada se reunió en la plaza con los destechados del incendio y les habló de los caprichos de la fortuna, la codicia de los ricos, el sufrimiento de los pobres. «Poseer bien es poseer con justicia», les dijo, recordando una sentencia de San Juan que había leído en alguna parte, tal vez por los años de su juventud, cuando estudiaba con las monjas en el convento de Lorica. «Y la cosecha es del que la siembra». Después se acercó a un muchacho desamparado que lloraba en un rincón. Era el tullido Morelos, baldado de nación, que antes del incendio se ganaba el sustento calzando gallos de pelea y ahora se estaba muriendo de hambre. Hasta donde yo recuerdo, era el único ser humano que tenía el dedo meñique más grande que los otros, y en una época mi madre llegó a pensar que esa era la contraseña del anticristo.

La santa se detuvo al pie de la esterilla de juncos donde yacía el enfermo.

—Levántate —le dijo, con un acento bíblico.

—No puedo —dijo el tullido en su media lengua—. Soy paralítico.

—Te dije que te levantes —repitió la santa, abriendo los ojos que llameaban, irguiendo la cabeza al viento y alzando su cayado.

El gentío, con un silencio de recogimiento, se estaba agolpando en la plaza. El tullido puso las rodillas nudosas en el suelo, quedó en cuatro patas y después, con un esfuerzo penoso, levantó el torso. Las manos le temblaban, no tanto por la emoción sino por la puja que había hecho para el impulso.

—Ponte de pie —le ordenó la santa, extendiéndole el cayado.

El tullido se asió al palo, con la esperanza de un náufrago, y comenzó a levantarse. Estaba desnudo y sus huesos parecían ramas.

—Ven a mí —le dijo, endulzando la voz y quitándole el cayado.

Con el terror pintado en la cara, el tullido dio un traspié, pero se mantuvo enhiesto, y estiró los brazos, buscando un apoyo en el aire de la tarde, que se había enturbiado con unos lamparones de niebla y no parecía que fuera la hora que era sino la hora del amanecer. Caminó hacia ella, con pausa, arrastrando las piernas que se entrechocaban.

—Milagro —gritó Mayito Padilla, desde la otra esquina.

En ese preciso instante, un trueno de espanto reventó en pedazos el letargo de la tarde y alumbró las tinieblas. No llovía desde noviembre pero empezó a llover de repente, con unas gotas rechonchas y heladas.

—Llegó la oscurana —musitó mi madre, santiguándose—. El sol ha muerto y el mundo se va a acabar.

La santa abrió los brazos y esperó al tullido. Luego se quitó la túnica y se la puso sobre los hombros.

Ahora era ella la que estaba desnuda. Tenía un sexo inocente y hundidas las nalgas tristes. Tenía también el pellejo curtido de un animal disecado.

—Es Cristo vivo —volvió a gritar Mayito, viendo al tullido con el manto—. Cristo ha resucitado.

—Cállese, embelequera —le dijo el doctor Lepesqueur, que estaba a su lado, guareciéndose del aguacero en el alar de la farmacia del señor Benito.

«En estos días», pensó el doctor, «la fe es lo único que se consigue por un precio razonable». El agua de la lluvia tenía una contextura pastosa, como de barro diluido, y las figuras humanas se estaban borrando, pero el contorno de la santa se recortaba en su ámbito, como si tuviera encendida su propia luz.

—No necesito ropaje —exclamó, dirigiéndose a la multitud— si un hijo mío está desnudo. Cuando llegue mi hora, me encontraréis a bordo, ligera de equipaje, como los hijos de la mar.

—Farsante —dijo el doctor Lepesqueur, dándole la espalda—. Eso lo escribió Manuel Machado.

—Manuel no —lo corrigió mi padre—. Su hermano Antonio, que era un buen poeta.

Por esas mismas fechas el historiador Sixto Manuel Torres, que se había convertido en masón y leguleyo de oficio, llevó al pueblo unos legajos del venerable código civil de don Andrés Bello, en el que se decía que aquellas tierras que fueran quedando bajo el cielo abierto en los antiguos lechos, tras el lento e imperceptible retiro de las aguas, se consideraban ejidos para el usufructo comunal y de propiedad de todos los vecinos.

—Eso no es una ley —dijo mi padre—. Es un poema.

—Pero es un poema que sirve para hacer justicia —replicó el tinterillo.

En aquellos tiempos el río resolvió por su propia cuenta cambiar el orden de la naturaleza, desvió su curso y abrió otro cauce hacia una desembocadura diferente, en la Boca de los Tinajones. Lo que iba dejando atrás, mientras serpenteaba por el camino reciente, eran unos inmensos playones cubiertos de una capa de materias vegetales gruesa y esponjosa. El suelo enchumbado por la antigua masa de agua se volvió tan fecundo que crecían hasta las piedras. Al atardecer los pescadores recogían las almejas en el nuevo delta con una pala, como si fuera arena, pero los descendientes de Generoso Venturolli dijeron que la planicie que quedaba en el viejo camino del río también formaba parte de sus posesiones, adelantaron las cercas y acrecieron así las haciendas que su padre había comprado o había usurpado con el paso de los años. Sus hijos mayores, los bastardos de ojos azules, armaron un ejército de vigilantes privados que expulsaron a los ocupantes de los ejidos, les quemaron los ranchos, destrozaron las sementeras, envenenaron sus aguas, mataron a sus animales domésticos y los obligaron a marcharse en carretas de palo tiradas por burros en las que las gallinas maniatadas aleteaban del susto, y se refugiaron en la plaza, donde quedaban todavía los últimos harapientos del incendio. De modo que la misma noche en que ocurrió el milagro del tullido Morelos, bajo la lluvia de sacrilegio que azotaba el caserío, Santa Petrona Barroso del Niño Jesús de Praga reunió en las riberas de los pantanos una romería de desalojados, les leyó el código civil que el historiador le había pasado a trasmano y se puso al frente de ellos en la larga y penosa procesión hacia las haciendas del estuario. Un hombre llevaba un pollo colgado del cabo de su azadón. Caminaron entre el fango, abriéndose paso con las antorchas que les daban una semejanza de sombras mortuorias, y las mujeres cargaban las camas de tijera que tenían lienzo en vez de colchones y a los niños que berreaban. Cada uno llevaba consigo la estampa de la santa en el bolsillo de la camisa que le quedaba junto al corazón. Entre ellos estaban los indios alfareros que venían del Pueblo Abajo de San Nicolás de Bari, recostado en un recodo del río, que andaban por el camino vendiendo olletas de barro para batir el chocolate espumoso o la chicha de maíz, sombreros de vueltas, esteras de enea y tigres de greda pintados de diez colores, con las garras más grandes que el cuerpo y los ojos de bolas de cristal.

Al amanecer, cuando las garzas todavía estaban durmiendo con la cabeza hundida en el pecho, se dispusieron a posesionarse de los mismos cenagales por los que desde el siglo de sus bisabuelos tenían que pagar terrajes y aparcerías. Pero ahora, además, estaban obligados a compartir con los herederos de Venturolli no sólo el producto de sus cultivos, los puños de arroz y las matas de yuca, los plátanos de cuatro filos y los mangos de todos los colores y olores, y los aguacates que parecían melones y se rajaban de la grasa, sino también el pudor de sus mujeres y la virginidad de sus hijas.

Fue el ganado lo único que les impidió entrar a los pajonales en los primeros intentos de esa madrugada. Los caporales habían desperdigado a las fieras más bravas en seis potreros diferentes para que entorpecieran el paso de los intrusos y los desalentaran de la invasión. Se estaban preparando para regresar al refugio de la plaza, vencidos, pero un hombrecito verdoso, con semblante severo, mitad indio y mitad negro, llamado Benigno, salió al frente de la aglomeración, se puso las manos en la boca, para hacer bocina, y empezó a cantar décimas de vaquería con unos pulmones de gallero que espantaron a las garzas. Las reses pararon las orejas y lo miraron matreras. Lo primero que hicieron fue ponerse a cocear en el lodazal, con las patas delanteras. Gritando contra las arremetidas del viento, Benigno empezó a arrullarlas con ternura y a murmurarles que eran sus niñas bonitas. El ganado le respondió con unos mugidos de felicidad y se fue juntando a la distancia, ya con un poco más de confianza. Acudieron al llamado del vaquero trotando con alegría de bailarinas, como si fueran para una fiesta y él les estuviera tocando la flauta. «Ay, Jesús», les decía, con halagos y melindres. «Ay,

Jesús, mi nena consentida, mi vaquita linda», y seguía alejándose con aquellas bestias piramidales bailando en los talones. El último que cruzó la ciénaga fue un buey viejo y manso, que se estaba quedando ciego y movió con donaire los jarretes salpicados de barro cuando Benigno le habló al oído. Después, alzando los brazos como un campeón atlético, el vaquero lanzó su mejor grito de victoria mientras la caterva hambrienta se tomaba los potreros.

Fatigados por la marcha, pero incansables, procedieron a levantar de nuevo sus ranchos con cuatro estacas, acostaron a los niños para que volvieran a dormir bajo techo, afilaron los machetes en las piedras de amolar y se sentaron a la espera, en el momento en que los primeros vientos alisios soplaban desde la Boca de los Tinajones. Cuando los esbirros de Venturolli trataron de entrar a las tierras vecinales, los machetes sonaban contra las piedras y la gente les gritaba a su paso que poseer bien es poseer con justicia y que la cosecha es del que la siembra. Sólo entonces comprendieron lo que la santa había hecho, pusieron grupas y se fueron a buscarla.

Duró cuatro días perdida. A la hora del desayuno en el comedor del patio, mi madre creyó que ella era la única persona que sabía que la santa estaba escondida en el prostíbulo de Angermina, donde las muchachas de mala vida le dieron asilo al verla llegar mojada como una gallina por la lluvia. Dijo que venía a salvar las almas de las pecadoras y pidió que le regalaran un poco de comida. La bañaron con énfasis y le pusieron de ropa limpia el camisón floreado de una de las putas. La ocultaron debajo de una cama imperial, y la pobre santa no tuvo más remedio que escuchar con sus oídos castos las procacidades desfachatadas que los borrachos les gritaban a las mujeres en lo mejor de sus maromas o las posturas extravagantes que les proponían. Estuvo a punto de morirse de un susto, la tercera noche, cuando oyó que un cliente le sugería a su compañera que lo hicieran debajo de la cama. La mujer, por fortuna, logró disuadirlo de sus propósitos con la argucia de simular los primeros síntomas de una artritis.

No le duró mucho la buena suerte, sin embargo. La verdad es que el pueblo entero sabía la historia, y el sábado la cocinera del lupanar le reveló el secreto al jefe de los escopeteros, que era su amante. A las ocho de la noche, mientras la clientela bailaba con regocijo un canto de Alejandro Durán, que tocaba su acordeón con una maestría legendaria, la tropa entró al burdel montada a caballo. Afuera los esperaban sus compañeros, que se quedaron haciendo guardia. El anca de una yegua que sudaba por los belfos despedazó el mobiliario barato. Los guardianes, borrachos, les lanzaban salivajos a las mujeres, que se defendían arañándoles los pies. Empezaron a disparar en el saloncito de las luces coloradas. Un tiro mató a Emiromel, el hijo de Angermina, un negro adolescente de cabeza cuadrada que por esa época tenía la misma edad mía y jugábamos béisbol los dos con una pelota de caucho a la salida del colegio. La calle era un desmadre de gente inflamada por el atropello.

Mi madre fue una de las primeras personas en hacerse presentes y pretendía entrar al prostíbulo. Un semental con aire patibulario le cerró el paso.

—Quítate de ahí —le dijo.

—Con mucho gusto —respondió el hombre, con un sarcasmo rústico—. ¿Y para dónde quiere que me vaya?

—Para la mierda —le contestó impasible.

El palurdo levantó el arma, con ambas manos, y montó el disparador. Un chasquido leve se escuchó a lo largo de la calle amotinada. La multitud amenazante, que guardaba silencio por primera vez a la espera de lo que se veía venir, se arrimó a ellos, revoloteando.

—Voy a entrar, aunque te pese —le dijo mi madre, y dio dos pasos al frente.

El guardián le apuntó al entrecejo.

—*Atrévate* —le dijo mi madre— y verás que la mazamorra no es caldo.

El hombre puso el dedo en el gatillo.

—Retírese, señora, o disparo —le dijo, con el arma aculada al hombro, pero mi madre le adivinó un asomo de indecisión en el acento.

—*Atrévate*, hijo de puta —le dijo en la cara, masticando las palabras, furibunda, sin alzar la voz, temblando de rabia, y trató de arrebatarle el fusil.

—Vámonos, niña turca —le suplicó la Macarrona, una de las mundanas de Angermina, tomándola del brazo. La rechazó.

Mi padre, que se había enterado en su casa de lo que pasaba, venía corriendo entre la barahúnda.

La turba le abrió camino. Vio a mi madre, al hombre que le apuntaba y a la cortesana que empezaba a llorar.

—Sepa, respetado señor —le gritó al escopetero—, que si usted le dispara a esta mujer, también tendrá que matarme a mí.

Sólo entonces mi madre volvió a serenarse y se sintió asustada. Jamás en su vida había notado una resolución de ese tamaño en el carácter de su marido. Lo tomó de la mano y, antes de marcharse, se encaró de nuevo con el barbaján.

—No es un buchipluma como tú el que me asusta a mí —le dijo, apuntándole con el dedo—. Te falta mucho pelo para ese moño.

Regresaron calle abajo. En ese momento los centinelas sacaban a la santa a mano alzada de su escondite debajo de la cama, donde se había quedado dormida, a pesar del estropicio de la música. Sonaron tres tiros en el aire.

—Ahora sí se formó el cogenalga —gritó un borracho, mientras la gente se dispersaba.

Los guardianes se la llevaron a rastras al día siguiente. Diez hombres malencarados estaban de francotiradores en los techos. La traían por la calle principal, atada de manos con un cáñamo que pendía de la cola de un caballo. Estaba más mugrienta que nunca y un mazacote de sudor y polvo le cubría la cara. Dos veces se enredó entre las patas del caballo y rodó por el suelo. Perdió un diente y empezó a sangrar por la ceja. Tenía laceraciones en la espalda y el sayal amarillento estaba desgarrado en los hombros. Daba tumbos entre los pedregales y lanzaba rabiosas dentelladas al vacío, como una perra en celo. La gente contemplaba la escena desde las ventanas, tragándose la rabia, y entre ellos estaba el tullido Morelos, con una camisa nueva y un gallo de pelea en las manos, recostado al tronco de un algarrobo que era célebre porque se mantenía verde todo el año, incluso en las sequías más atrevidas, pero cuando el tullido se acercó a él sus ramas empezaron a secarse de súbito, como esas adormideras que se cierran al contacto con la piel humana. El tronco calcinado del algarrobo es el único recuerdo que nos queda de los sucesos de ese tiempo, y la gente en romerías sigue echándole agua y abono de cagajón de burro, no importa que nunca más haya florecido, aunque hay quienes han visto que gotea agua de lirios blancos el Viernes Santo a las tres en punto de la tarde.

Cuando terminó el alboroto, mi madre cerró la puerta de la casa y le dijo a mi padre que se iba a vivir al baño. Lo último que se supo de la santa, pocos días antes de la agonía de mi madre, es que había muerto de tristeza en la cárcel de Montería, porque nadie le hizo la obra de caridad de ir a visitarla mientras estuvo presa. A la misma hora de su muerte un huracán de verano, el único en la historia del pueblo que no dio previas señales de vida ni advertencia alguna, derrumbó la vieja iglesia de bahareque de San Bernardo del Viento y entre las escorias del campanario encontraron el cadáver desorbitado de la cocinera de

Angermina, que había ido a confesar el pecado horrendo de su traición.

Atraídos como moscardones por la noticia del milagro, los periodistas llegaron de Bogotá a las cuatro de la tarde en la chalupa del señor Rasputín. Tomaron fotografías, hicieron preguntas, anotaron en sus libretas, sudaron como una olla de guarapo helado y se marcharon de vuelta. La edición del domingo, a la que mi padre se había suscrito, llegó al pueblo con quince días de retraso. Montado en un banco de la cocina, mi padre leyó la crónica en voz alta, ante el gentío reunido frente a su casa. Los periodistas enredaron de tal manera la historia que los vecinos no pudieron reconocer los hechos que ellos mismos habían presenciado. La prensa decía que un taumaturgo tullido, que sólo se alimentaba con la carne correosa de los gallos de pelea, había logrado el prodigio de devolverle la pronuncia a una muda que hacía magia, tenía un bastón y estaba recluida en una estera. No publicaron ni una sola línea sobre la ocupación de las tierras ni sobre la ordalía de los escopeteros, ni sobre el apresamiento de la santa.

—Ahí están pintados los periodistas —interrumpió Mayito Padilla la lectura de mi padre—. Nunca dicen la verdad.

—A veces no lo hacen de mala fe —dijo el doctor Lepesqueur—. A veces son más ignorantes que perversos.

Los desatinos del reportaje proseguían con la imagen que lo ilustraba, un retrato del boticario Benito, a quien trastocaron con el alcalde del pueblo. Los reporteros armaron un embrollo de tales proporciones, y la confusión que provocaron fue tan gorda, que cincuenta años después la verdad se ha extraviado en los vericuetos del Caribe y en las consejas sin sentido que ahora andan circulando por las cantinas y en las romanzas de los músicos. El tullido Morelos negó ante la policía que conociera a la santa y lo dejaron en libertad. «El algarrobo sabía lo que estaba haciendo», dijo mi madre. Después del milagro le quedó al tullido una forma de caminar airosa, como los caballos cuando oyen la música. Se casó y tiene siete hijos. Santa Petrona, en cambio, no dejó descendencia por ninguna parte ni se le conocieron tíos o sobrinos. Murió virgen.

En el momento en que el público empezaba a disolverse, mi madre tomó el periódico de las manos de su marido y, agitándolo, gritó, para que la oyera todo el mundo, desde el umbral de su casa:

—Lo que pasa es que en este pueblo es más fácil hacer milagros que hacer justicia.

—Y menos peligroso —añadió el doctor.

6

LOS CANGREJOS

«Me estoy poniendo vieja», pensó mi madre, en el baño, al incorporarse de la cama con biblioteca que el carpintero Murillo le había instalado en el espacio más amplio del recinto, entre el inodoro y la regadera. «Ya no tengo los mismos bríos ni el vigor de otras épocas». Se restregó con la palma de ambas manos los ojos abotagados por el sueño.

Buscó a tientas sus chancletas de entrecasa y comprobó que en los últimos meses le costaba trabajo levantarse en las mañanas. «Me duelen las coyunturas y la armazón de los huesos. El tiempo no pasa en balde ni la vejez llega sola», se dijo, sin saber que le estaban empezando las fiebres del reumatismo que la llevarían a la muerte, y fue hasta el espejo cuadrado que empotró en el centro de su tocador de caoba. Se examinó con detenimiento, desde la frente hasta la barbilla. Conservaba aún el brillo tan celebrado de su mirada gris, pero vio que comenzaban a abrírsele los poros del cutis. «Este clima acaba con los seres humanos. El sol, la humedad y el salitre resecan la piel. El salitre se va royendo a la gente con el mismo óxido sin entrañas que se come los clavos y la madera. El golpe eterno de la arena corroe las puertas y desportilla el vidrio de los vasos. Los platos se desgastan. El agua de mar se come hasta el casco de los buques».

Vivió en el baño un poco menos de la mitad de su vida, desde el día en que se llevaron a la santa, y fue entonces cuando comprendió que no valía la pena seguir luchando ni arriesgarse por aquella gleba sumisa que se había resignado a su propia fatalidad y al destino de servidumbre que esperaba a sus nietos. Pero, si vamos a respetar la severidad rigurosa de los hechos, debo decir que el desencanto no fue la única causa que la indujo a encerrarse entre las cuatro paredes del baño, de donde saldría a duras penas para abrir y cerrar su tienda. Había sufrido toda su vida de un terror enfermizo a gérmenes y bacterias, desde su infancia, cuando una bronquitis infecciosa hizo que los médicos la desahuciaran en su aldea del Líbano.

—Microfobia aguda —dictaminó el doctor Lepesqueur cuando le contaron la historia.

Esa era la razón por la que se lavaba las manos veinte veces al día, restregándolas con jabón y un estropajo, duraba cuatro horas bañándose, veía microbios volando en el aire, se tapaba la boca cuando soplaba la brisa y mantenía en la alacena de la casa una provisión militar de detergentes y desinfectantes que le traía por cajas Luciano Martínez, un agente vendedor que pasaba por el pueblo todos los meses. Al cabo del tiempo, de tanto refregarlas, las manos de mi madre se habían vuelto blancas y rugosas, y tenía los dedos como si fuera un ahogado. De manera, pues, que Mayito Padilla no estaba por completo en lo cierto cuando dijo que mi madre se había recluido en el baño porque sentía repugnancia de codearse con aquel villorrio de mulatos.

—A la niña pretenciosa le dan asco los pobres —dijo, con malevolencia—. Ella cree que la negrazón se pega.

En el baño comía, dormía, daba instrucciones para el buen suceso de la casa, bordaba en recamado, hacía negocios y cocinaba, le cambiaba el alpiste al turpial, jugaba póquer, recibía visitas y tarareaba una vieja canción mexicana sobre el hijo desobediente al que una espada le atravesó el corazón. Por su baño pasaron todas las noticias de San Bernardo del Viento, buenas y malas, públicas o privadas, las grandezas y miserias del pueblo, los matrimonios y las defunciones. En el baño supo ella, primero que nadie, que Mayito Padilla había acabado por fugarse con un cacharrero andariego que compraba caballos y calderos de cobre, pero que la abandonó antes de abordar la barcaza que cruzaba el río tirada por una cabuya.

—Esa mujer es más tramposa que yo —dijo el hombre—. Y no existe forma de mantenerla callada.

Mayito no tuvo más remedio que regresar al pueblo, a seguir su vida, fresca como una rosa, poniendo un risueño aire de circunstancias.

—Otra se habría muerto de vergüenza —dijo mi madre, disfrutando el plato suculento de la venganza—. Pero esa garcipola tiene el rabo pelado.

—Peor ella, que es loca y vive en un charco, como las ranas —repuso Mayito Padilla, al pie de la ventana del lavamanos que daba a la calle, con una voz tan alta que mi madre pudo oírla sin que nadie tuviera que llevarle el cuento.

Se cumplía el primer aniversario del incendio y los albañiles se vieron obligados a emplazar en la mitad del baño una pila de baptisterio hecha con piedras, para que mi madre pudiera cumplir sus obligaciones de bautizar a una interminable retahíla de criaturas y amadrinar la confirmación de las niñas que estaban creciendo rápido. Sucedió que medio pueblo y los campesinos de los ejidos resolvieron nombrarla comadre, en demostración del aprecio que le profesaban por haberse enfrentado con valentía aquella noche a los secuaces de Venturolli.

—¿Cómo puede ser tan importante, si nunca sale del baño? —preguntó Mayito Padilla, y mi madre lo supo de inmediato.

—Por eso mismo —replicó zumbona—. Porque no me dejo ver a diario.

Desde entonces comulga en el baño los primeros viernes de cada mes y todos los domingos y fiestas de guardar. «Fiestas de guarda» las llamaba el padre Agudelo en un principio, pero vino a resultar que «guardas» era también el nombre de los agentes de la gendarmería de aduanas que decomisaban los contrabandos más pobres y se bebían en francachelas morrocotudas los licores extranjeros que confiscaban a las revendedoras del corregimiento de Cristo Rey. La gente empezó a recelar que la Iglesia tuviera vínculos con esos arbitrarios, como si no fuera suficiente con la inquina provocada por el silencio que el párroco guardó cuando acaecieron los sucesos de la santa. El padre tuvo la idea luminosa de agregarle una humilde letra a sus fiestas y aquí hubo paz y en el cielo gloria. Algunos apóstatas, sin embargo, azuzados por el doctor Lepesqueur, aprovecharon el fermento popular que la palabra había ocasionado, y empezaron a predicar ideas protestantes y a darle su propia interpretación a las sagradas escrituras. El conflicto religioso, que se mantenía larvado, hizo explosión un mediodía sofocante en que el pueblo estaba hundido en el calor de la siesta. Los dormilones despertaron alarmados por la algarabía que armó el padre Agudelo a través de los altavoces del campanario nuevo, que fue construido con las donaciones de la familia Venturolli.

La suya era, en aquella ocasión, una voz estremecedora de patriarca hebreo, la misma voz sobrenatural que debió de poner Moisés para ordenarle al mar que se abriera, la voz tremebunda de Dios mandando la destrucción de Sodoma y Gomorra. La voz de fuego del padre Agudelo, cargada de inflexiones y matices dramáticos, anunciaba a los cuatro costados del mundo que Satanás acababa de hacer su entrada a San Bernardo del Viento, en la lancha de las dos de la tarde, vestía una chaqueta negra y una corbata del mismo color lúgubre, y estaba desembarcando con su comitiva luciferina de rosacruces y masones en la orilla del río. Cuando me asomé a la puerta de la calle, un turbión humano que corría hacia el sitio donde se hallaba el maligno estuvo a punto de arrastrarme entre sus patas. La flaca Viviana, que por ese entonces se había convertido en mi aya, me llevó en hombros a ver qué era lo que pasaba. Lo que encontré en el puerto fue un pobre hombre con el color de la piel desteñido, entre blanco y amarillo, como el color del fique, y el acento de silbido de serpiente que tienen las gentes de la montaña. Era un pastor adventista que vendía biblias y se detenía a sermonear pecadores en los caseríos perdidos de las riberas. Estaba muerto del susto ante la cochambrera enardecida que quería lincharlo, y lo único de su aspecto que en realidad parecía infernal era ese vestido de paño negro que lo hacía sudar como si estuviera desaguándose bajo aquel sol de fundición.

—Soy un hombre de paz —sollozaba.

El doctor Lepesqueur le salvó la vida al imponer su ascendiente entre los vecinos. De pie en la proa de la chalupa, mantuvo el equilibrio con un balanceo, cubrió con su cuerpo al demonio tembloroso que oraba en murmullos, hizo restallar su látigo en el aire y desenfundó el mismo revólver de la noche del fantasma, pero en esta oportunidad no fue menester que lo disparara.

—El fanatismo es el cagadero del alma —dijo el doctor, y yo no he podido olvidar con el paso del tiempo los ojos inyectados de odio de aquel pueblo, por lo demás tan pacífico.

Mi madre, en cambio, no le dio mayor importancia al percance y dijo que esas eran las chifladuras seniles del padre Agudelo.

La primera vez que ella se lo propuso, el padre expresó su resistencia a complacerla en el capricho de convertir un baño, por elegante y acogedor que fuera, en un templo sagrado. Dónde se ha visto, la reconvino, a un feligrés hincado en la ducha, oyendo la santa misa con una toalla húmeda en la cabeza, como si en vez de una mantilla de respeto fuera el turbante pérfido de un berebere. Al final, más resignado que convencido por la tenacidad de mi madre, el cura reconoció, en un acto de consolación, que el deber de un apóstol verdadero es salvarle el alma a un cristiano, aunque comulgue sentado en el inodoro.

No fue tan sencillo que mi madre hiciera su voluntad. El padre le puso como primer requisito que entronizara en el muro un cuadro bendecido del Sagrado Corazón de Jesús, que flameaba a medida que iba moviéndose la luz del día. Me parece que hubo algo de exorcismo en esa exigencia. Llena de regocijo por haber cerrado uno de los negocios más baratos de su vida, antes de que el padre se arrepintiera, se apresuró a demoler la tapia del fondo, hizo tumbar dos palos de tamarindo para extender el baño y construyó un pequeño oratorio en el lugar que antes ocupaba el aguamanil de peltre. Como era natural, la lengua malévola de Mayito Padilla empezó a burlarse de mi madre y a llamarla «Nuestra Señora Milagrosa del Lavamanos».

—¿Qué han sabido de la Virgen del Perpetuo Jabón? —preguntaba, haciéndose la desentendida, al pasar por el pretil de la casa.

«Peor para ella», pensó mi madre, «porque no ha comprendido que el baño es el único lugar de este mundo donde una persona puede vivir tranquila, segura y feliz».

Mi padre, en cambio, lo entendió de inmediato. Aunque siguió durmiendo a solas en la habitación que antes compartían, cada vez eran más frecuentes y largas las visitas que hacía a su mujer en el baño. Para que estuviera más cómodo, le hicieron instalar la butaca de cuero desde la cual la ha visto agonizar en este último verano. Por las tardes, después de cerrar la tienda, él se dedica a leer en su poltrona los periódicos viejos, a repasar los libros de versos que guarda en la biblioteca de la cabecera y a resolver crucigramas mientras mi madre avanza en el bordado. Intercambian las noticias del pueblo y ella siempre está más actualizada que él. A medida que la tarde oscurece, se va para el jardín a podar las matas, echarle agua al papayo de las frutas dulces y a cuidar la parra. Cuando supo la historia de Benigno y las vacas que lo seguían por el campo, mi padre pensó que era posible aplicar la misma estratagema a los pájaros del patio. Les cantaba ensalmos de seducción con su voz apagada pero cariñosa y les decía que eran sus nenes bonitos. Los pájaros desconfiaban de su cordura y se iban huyendo.

—Lo que nos faltaba —comentó mi madre, al verlo en esas—: un vaquero de pájaros.

—Se llama pajarero —dijo él, ofendido por la cuchufleta—. Así como el que siembra albahaca se llama albahaquero.

—El que siembra albahaca se llama campesino —estalló ella—. Y no me friegues más con el diccionario.

Él siguió silbando con persistencia y con armonía, pero jamás logró que un mochuelo se le acercara.

Desde entonces, mi padre no salió más de su casa, ni volvería a salir en lo que le quedaba de existencia. La casa se convirtió para él en una especie de convento de clausura, en el que repartía las horas morosas del día entre la tienda, el baño de su mujer, el cuidado de las matas, el dormitorio y el baño adicional que mandó levantar para el resto de la familia bajo la troje de uvas. Ni siquiera se asomó a la calle cuando confirmó en el Almanaque de Bristol que había llegado la época del cambio en las fases de la luna, algo así como una liturgia de la naturaleza que le encantaba estudiar en largos paseos por la orilla del mar, desde sus años de aprendiz de astronomía. Al comienzo del verano, por los meses de diciembre y enero, el universo comenzaba a funcionar al revés. Las primeras brisas del Caribe derrotaban el calor irritante de octubre y el mar avanzaba treinta metros sobre la playa, empujado por los vientos y los frentes fríos que venían del norte. Entonces eran los pobres del mar los que tenían que levantar sus ranchos, como hacían los pobres del río en invierno, y trasladarlos al otro lado de los cocoteros, para evitar que el oleaje se llevara niños, perros y trastos de cocina. La marejada volvía a retirarse a sus dominios a mediados de marzo, cuando el calor regresaba de repente, se veía venir el invierno en la súbita quietud del mundo y la resaca dejaba cubierta la playa de algas podridas y muñones de troncos porosos que la marea arrastraba del otro lado de la tierra. Una enorme raya gris marcaba en la arena gruesa el sitio donde antes estuvo el borde del agua. Cuando arreciaba el ventarrón y se presentía el mar de leva, el fantasma sin cabeza no se atrevía a salir en sus incursiones nocturnas por miedo a que se lo llevara la corriente.

—Esta brisa es de agua —dijo mi madre, a mediados de abril.

Mi padre se humedeció la yema del dedo índice con la punta de la lengua y la sometió al examen del viento, con la mano en alto.

—Está soplando del oeste —dijo— y va a llover antes de medianoche.

Empezó a relampaguear y llovió a las once, con el aroma de agua tibia que tienen los aguaceros inaugurales del año.

—El poeta Abdala no ha vuelto por aquí —dijo Nemesio a un grupo de ociosos que se refrescaban bajo la lluvia en la puerta del nuevo salón de billares.

—Ahora vive bajo la falda de su mujer —respondió el dentista Buelvas, que era tan ocurrente—. Si ella se ventosea, él sabe lo que ha comido.

El verano era el tiempo de los sentidos y el deleite, pero el invierno era la época en que germinaba la vida. No sólo porque las cosechas brotaban y crecían los granos y engordaban los animales, sino también porque los cangrejos salían de sus socavones perseguidos por la lengua hambrienta de las primeras lluvias. El agua se deslizaba por la boca de las cuevas, abiertas en el arenal, y aquellas extrañas criaturas tenían que escapar corriendo, para que no las agarrara la torrentera, con una prisa cómica que me hacía recordar las arañas de cuerda que me puso el Niño Dios en una Navidad. Cuando se sentían en peligro por la gente que los correteaba, los cangrejos agitaban las tenazas como si estuvieran tocando un violín. «Por eso les dicen violinistas», explicaba el profesor Canabal, «y son tan apreciados que los guerreros antiguos llamaban *ojos de cangrejo* a unas láminas movibles que se ponían en los brazos y las piernas para protegerse de las flechas enemigas». Mi primera experiencia con los cangrejos, no obstante, era menos histórica pero de un tormento parecido. En nuestros años de travesuras, el hijo del boticario y yo organizamos una cacería tras los aguaceros de abril. Con mi lanza de hojalata ensarté el caparazón entre verde y azulado del cangrejo, y pensé que había muerto. Me agaché a recogerlo, abrió los ojitos en lo alto de las antenas y me lanzó un mordisco. La pinza acérrima estuvo a punto de trozarme el dedo gordo del pie y la hinchazón me duró ocho días. Mi padre me hizo prometer que no volvería descalzo a la playa.

—El arroz de cangrejo es el manjar de Dios —dijo mi madre, al escuchar los arañazos en las ollas de las vendedoras que pasaban por la calle pregonando sus cangrejos frescos.

Ya para ese momento el baño se había convertido también en cocina. Sentada en el canto de la cama, mi madre molía el trigo para el kibbe, ablandaba el garbanzo para hacer la papilla de tahine, amasaba el maíz con azúcar para las arepas dulces, salaba la carne para la viuda del sábado, preparaba la torta de yuca macerada con anís y pelaba el tamarindo para la chicha. En la puerta del baño que daba al patio aprendió a pilar el arroz del almuerzo en el pilón de madera, y aprendió también el arte misterioso de aventar los granos en un catabre de bejucos para que la brisa se llevara el afrecho.

—Parece una mujer bíblica —pensaba mi padre, al verla en esos afanes—. Ya sabe separar la paja del grano.

—Después de tantos años —decía ella, riéndose con las ganas de quien tiene una buena digestión— se me han revuelto las costumbres de allá con las de acá, y ya no sé si al kibbe hay que echarle yuca o si el mote de queso se hace con almendras.

Esa mezcolanza de recetas e ingredientes disparejos fue lo que produjo la confusión memorable que todavía se recuerda en el pueblo como un hito de leyenda. Mi madre se dispuso a preparar el arroz de cangrejo que tanto nos gusta. Separó la hiel pero dejándole al cangrejo la grasa, que es como mandan las mejores tradiciones culinarias de San Bernardo del Viento, y luego puso a freír la manteca para que cogiera color hasta ponerse oscura. Ralló un coco de cáscara pulida y entreveró su leche con la manteca que hervía. El guisado le fue dando al baño el olor magnífico de la felicidad. Olía a cocina de buena crianza. Yo sentí el golpe de la fragancia en el corredor de los helechos y mi padre lo sintió entre las azaleas que estaba trasplantando.

Mi madre echó al caldero un punto de sal al gusto y otro de azúcar. Cuando la argamasa de grasa y leche de coco borboteaba de contento, se dispuso a agregarle, con unos ademanes de ceremonia de tribu, las muelas y las patas del cangrejo, pero se entretuvo un instante acomodándole la funda a una almohada que estaba torcida. Sus llamados de orgullo nos precipitaron sobre el baño. Para partir la coraza de las muelas mi padre llevaba un viejo martillo sin orejas, que había quedado para ejercer el oficio subalterno de martillo cangrejero, yo llevaba el mazo del mortero con que se maceraban los ajos en la cocina, y cada una de mis hermanas traía consigo los restos de una piedra de amolar. «En este pueblo de las cavernas», dijo una vez Wadih Morad, «uno puede saber que llegaron los cangrejos porque la gente anda por la calle con un martillo en la mano».

—Aquí hay algo extraño —dijo Yamile, quisquillosa.

Mi padre la regañó por inventar excusas para no comerse la comida. «Artrópodo crustáceo del orden de los decápodos», pensó mi padre. «De ocho letras y empieza por c». Sintió un gusaneo en el apetito al recordar que cada cangrejo tiene diez patas suculentas. Se sentó a la cabecera, con el martillo dispuesto para el festín, y en el momento de asestar el primer golpe descubrió que el arroz no tenía cangrejos, que debía tener, pero en cambio tenía ramitas de toronjil y polvo de orégano, que no debía tener. En el ajetreo de la almohada mi madre había olvidado echar patas y muelas al caldero. Lo único que el fallido banquete tenía de cangrejo era la manteca pardusca que le dio al arroz consistencia y aroma. Celebramos con regocijo la inadvertencia de mi madre, salvo Yamile, que se quedó seria.

—Yo les dije que algo raro estaba pasando —murmuró, como si emitiera un parte de victoria.

—Pero el arroz está sabroso —añadió mi padre, con una indulgencia galante—. No todo el monte es orégano.

Mayito Padilla se enteró en la carnicería de lo que había pasado, por boca de las cocineras, y afiló la lengua.

—Un día de estos —dijo— esa turca bruta es capaz de hacer un pastel de gallina sin gallina y sin pastel.

Me detuve en el relato del episodio de los cangrejos porque esa fue la última vez en mi vida que estuve reunido con la familia. Al día siguiente, el toro me empitonó en la corraleja y vi el rayo de color anaranjado que atravesaba las nubes. Antes de los tres parpadeos, en una revelación final, comprendí la causa de aquella melancolía permanente que aleteaba en el fondo de los ojos de mi madre. Era un presentimiento de la desgracia. Almas caritativas llevaron mi cadáver a la casa y en señal de duelo el alcalde suspendió los dos días de festejos que aún faltaban. Mi padre, desorientado por el dolor, se deshizo en lágrimas y se mantuvo en vigilia a mi lado, hasta que me llevaron a enterrar junto al viejo Abdala, en cuya tumba había un ángel de yeso que tocaba una corneta. Lanzó un lirio blanco a mi fosa, antes de las últimas paladas de tierra, y regresó solitario a su casa.

—Mi único hijo varón —dijo, al salir del cementerio, con un suspiro profundo.

La muerte es tal cual me la había imaginado. Como la vida, también empieza con un sueño, pero la diferencia estriba en que la vida duele más y en la muerte no hay máquinas de escribir ni fuerza humana que pueda obligarme a comer frijoles con aguacate. No extraño a mis seres queridos porque ahora tengo la posibilidad de verlos sin que me vean. Lo que me hace falta es charlar con ellos, echar cuentos con mis amigos, silbar en las serenatas y esconderme en los rincones más entrañables de la casa a contemplar el currucuteo de las palomas en celo y el primer vuelo inseguro de los pichones. Ahora estoy en capacidad de aseverar que la muerte es un estado lacrimoso de añoranzas y suspiros. Como la vejez.

En la muerte hay luz, pero amortiguada, y no existe el estallido de los colores. El mundo de los espíritus es blanco y negro, o grisáceo, en su defecto, de una tonalidad que se destiñe con el sol. La muerte es mansa, despojada de reciedumbre, plácida. La muerte es tan solemne que en sus jurisdicciones no se le tolera a nadie que ande vestido con la camisa por fuera del pantalón. En sus posesiones no se oye la música briosa de tambores y trompetas. Lo que suena en el espacio inmenso es la armonía desabrida que uno escucha en los consultorios médicos y en la silla del dentista. Prefiero la vida, no tanto porque sea más festiva sino porque es más breve, y eso apremia a la gente para que viva con la emoción de la prisa, a sabiendas de que el tiempo se acaba. La muerte, en cambio, es pachorra y se mueve con parsimonia, como todo lo que es eterno. Tiene la lentitud del infinito. Lo grave, en consecuencia, no es morirse, sino la cantidad de tiempo que uno dura muerto. La muerte es para toda la vida. La vida debería ser más larga y la muerte temporal, de modo que uno pudiera regresar con su cuerpo completo a disfrutar las temporadas de vacaciones. Quince días de asueto por cada año de muerte, sin incluir domingos ni festivos, serían una buena solución para que el finado completara los deberes que se le quedaron pendientes en la tierra, visitara enfermos, conociera a los recién nacidos que hay en el pueblo, se pusiera al día en las novedades sociales, firmara las escrituras atrasadas, repartiera la herencia, concluyera los negocios y las conversaciones que dejó por la mitad, pagara sus deudas y aprovechara para bañarse en el mar, que es una práctica saludable en el propósito de prevenir gripas, enfermedades infecciosas y achaques del sistema respiratorio. Sin esa pausa refrescante, la muerte será siempre una sucesión tediosa de días repetidos. Dicho sea con la autoridad notarial de un experto: a mí me consta que la muerte, tal como se halla reglamentada en la actualidad, más que tranquila es aburrida. Así no vale la pena morirse.

Mi madre no fue al sepelio.

—Prefiero recordarlo como era en vida y no darle ese gusto a la muerte —le dijo a mi padre, y se vistió con un luto de clausura monacal que no se quitaría hasta la tarde de su propio entierro, cuando habrían de sepultarla con el mismo trajecito de tafetán almidonado que traía puesto el día en que llegó del Líbano y él la estaba esperando en la playa de Puerto Escondido, junto a la estatua enana de Bolívar, con sus flores ripiadas por el calor y el corazón al viento. La imaginería popular sostiene que en las afueras de Puerto Escondido están sepultados los restos del almirante Cristóbal Colón.

—Quién quita —había comentado el doctor Lepesqueur en su día—. El pobre Colón está enterrado a pedazos en todos los potreros del Caribe.

Cómo sería el tamaño del dolor de mi madre, que después de mi entierro estuvo a punto de clausurar la puerta del baño con un muro de cemento.

—¿Y por dónde vas a entrar y salir? —le preguntaron sus hijas.

—Es que no pienso entrar ni salir —dijo ella, haciendo girar la mano por el recinto—. Todo lo que necesito para vivir esta aquí.

Fue necesaria la tenacidad de mi hermana mayor para hacerla desistir de ese encierro.

Me velaron durante nueve noches en el arriate del patio, guarnecido de crespones negros e iluminado por una ristra de bombillos opacos que pidieron prestados en la gallera de Salomón Behaine. El pueblo, arrasado por la congoja, se hizo presente para expresar su pesadumbre a los deudos y darle el pésame a la familia. Al segundo día de la velación, Mayito Padilla, ataviada con un moño y tacones altos, se dirigió con paso firme y pisada fuerte al sitio donde mi madre rezaba los responsos, bajo las buganvilias que empezaban a florecer, y se detuvo frente a ella.

—¿Qué se te ofrece? —le preguntó sin emociones.

—He venido porque ante una tumba abierta todas las diferencias se cancelan —le respondió—. Tenga usted conformidad y resignación.

Mi madre se puso de pie, estremecida hasta el tuétano de los huesos, y Mayito Padilla le dio un abrazo estrecho y sincero.

—Bienvenida seas a esta casa —le dijo, dándole un beso en la frente—. ¿Quieres un café?

Al cumplirse el décimo día de mi muerte, concluido ya el novenario, aliviado el luto exterior, reanudadas las películas mexicanas en la sala de cine con los escaños que habían cedido para el velorio, silenciados los misereres, desmontados los crespones y devuelta la ringlera de bombillos a los galleros, mi madre, con un reconcomio de rabia que no le cabía en el cuerpo, empezó a refunfuñar que las palomas caseras y los caracoles marinos eran los que habían llevado el infortunio bajo su techo. Recordó que desde el tiempo de los aborígenes que vieron llegar a los misioneros españoles, en San Bernardo del Viento existe la creencia de que las palomas llaman a ruina y que los caracoles rosados, con los que se trancaban las puertas para evitar que la brisa las batiera a vaivén, son el símbolo de la mala suerte que lo persigue a uno.

De modo que contrató a un nieto adulterino de Venturolli, que era idiota de vientre, le crecía una joroba en la nuca, hacía mandados con su carretilla de mano, se pasaba el día entero caminando de un sitio a otro, sin detenerse en ninguna parte, como hacen los presos cuando salen de la cárcel, y corría con el entusiasmo de un beisbolista, haciendo cabriolas y desplazándose a los costados, doblando las rodillas, detrás del bus de miseria que pasaba de madrugada cargado de gallinas y pasajeros, rumbo a los pueblos de playa, aunque nunca pudo alcanzarlo. Mi madre le pagó para que botara los dieciséis caracoles de la casa en el basurero de la orilla del río, plagado de desperdicios y porquerías que ya desde entonces habían contaminado las aguas y deformado a los peces recién nacidos. Después arrimó su taburete de cuero al palomar del patio, que yo mismo había levantado con dos pichones que me regaló en mi cumpleaños el hijo del boticario, y abrió las piernas como un compás, para atornillarse al piso. En su propio regazo, cubierto con un sucio delantal de zaraza, fue despescuezando las palomas, retorciéndolas con una sola mano sobre sus cuerpos, como si les diera cuerda. Es lo mismo que hacía en el baño, pero sin la furia, con las gallinas del almuerzo, cuando preparaba para toda la familia el cocido de marmaón, que los árabes del norte de África llaman alcuzcuz, y reducía a granitos redondos la pasta de harina y miel que ponía a hervir en agua caliente.

Después, con esos ronquidos de buque de vapor que distinguen su carácter, y que hacen estremecer las hojas en sus ramas, sucias las manos de sangre y mierda de palomas, mi madre confirmó que estaban muertas porque la miraban con los ojos abiertos, vidriosos y de reproche, acusándola de asesinato. Las fue echando una por una en la pequeña tumba que había abierto al lado del taburete, en el suelo reblandecido por los aguaceros de septiembre. Después se puso de pie, se limpió las plumas sangrantes y espelucadas que se le habían pegado al delantal, empujó a la tumba otras plumas que todavía volaban en el aire transparente de la tarde y, con la misma energía inquebrantable que ponía en todos sus actos, cubrió con tierra los cadáveres, las plumas y la sangre.

—No más tragedias en esta casa de locos —se dijo a sí misma, lavándose las manos en la alberca del aljibe, donde estaba la bomba de agua.

Mi padre, haciéndose el que podaba las ramas muertas de su árbol de granadas, la miró precavido, desde el otro costado de la alberca. «Formación queratinosa de la epidermis de las aves, de cinco letras», se distrajo, viendo la última pluma que hacía volteretas en el aire. Sentía dolor por las víctimas inocentes de aquel sacrificio pagano, pero tenía bien sabido que no era aconsejable acercarse a ella, y ni siquiera hablarle a la distancia, cuando sus arrebatos de cólera se veían venir como el viento huracanado del verano, y empezaban a hinchársele las aletas de la nariz y a maldecir en su tempestuosa jerigonza de groserías árabes y procacidades de marinero.

7

EL VERANO

En julio empezaron a florecer los jazmineros del patio que mi padre había sembrado en los meses de luna menguante, porque las matas que se siembran en las temporadas de luna llena, en cambio, no empeluchan, se entristecen y mueren. El doctor Lepesqueur había logrado demostrar que las noches de plenilunio no sólo enloquecen a los poetas y a la gente, sino también a los animales y las flores. Del jazminero fueron brotando unos botones blancos de cinco pétalos, hermosos pero con un aroma dulzarrón que no parecía espontáneo, y su apariencia hacía un contraste hiriente con la alegría escandalosa de las heliconias rojas que se derramaban sobre el muro del patio. A mi padre, que en los últimos años había adquirido el hábito filosófico de comparar sus variedades de flores con las mujeres del pueblo, y cada pájaro con el temperamento de los varones, se le dio por pensar que los jazmines eran como la señorita Genoveva, muy bella y compuesta, solterona invencible, que vivía tres puertas más allá de nosotros y tenía el color relamido de las azucenas y las flores episcopales. «Parece que siempre tuviera ganas de llorar», pensaba mi padre. Por el contrario, la mestiza bullanguera que vendía el pescado, envuelta desde la mañana en el perfume del verano que se le pegaba a la piel, con la cabeza encendida por una flor de arrebatamachos tan voluptuosa como su dueña, que parecía a punto de salirse por las costuras de la ropa, y cantaba el juego de la lotería de números todas las noches con unas carcajadas de vidrio que se oían hasta los linderos de la playa, le recordaba a mi padre el colorido estrepitoso de las trinitarias sangrantes, su espíritu provocador y su libertad de colarse hasta por el resquicio de las paredes. (Acá entre nos, y dicho sea entre paréntesis, la verdad es que mi padre nunca se refirió a sus plantas vivaces ni a sus flores vistosas llamándolas buganvilias, porque le parecía que esa era una palabra amanerada, procedente de las Antillas francesas, idioma que él aprendió de manera aceptable con los astrónomos jesuitas de su juventud. Las llamaba «veraneras», como había oído que les decían los cosecheros de los pantanos, que llegaban los domingos a vender arroz y comprar víveres en la tienda).

—Esta es la flor del verano —pensó mi padre, respirando a fondo el olor de tierra húmeda de la mujer, cuando la mulata se detuvo en la esquina con su batea de mojarras en la cabeza.

Por esos días aprendió a preparar en la cocina un perfume basto. Ponía a destilar las veraneras en una jofaina de agua que se calentaba a fuego lento, y cuando la pócima estaba espesa le agregaba unas gotas de colorante de anilina y hojas de alhucemilla. Se volvieron famosos en San Bernardo del Viento los frascos con etiqueta que mi padre mandaba de regalo a las muchachas que cumplían años o se casaban, y también a las que no cumplían nada o se quedaban para vestir santos, a sus ejércitos de ahijadas, a las mujeres que pasaban por la tienda vendiendo cazabe y alfajores, a las más jóvenes y a las más viejas, a la pescadera de la carcajada y a la propia señorita Genoveva, que iba todos los lunes a buscar su dosis de esencia para la semana, aunque mi padre sospechaba que lo hacía por una simple cortesía y que nunca la usó porque era la única mujer de este mundo que no olía a nada. Las demás se bañaban dos veces al día con el extracto de las flores de mi padre disuelto en el agua fresca de los estanques. Así fue como el pueblo entero empezó a tener un aroma de azahares en cualquier época del año, con lluvia o con sol. La fragancia del perfume casero hizo olvidar el olor deprimente del incendio de marzo. Las mujeres dejaban a su paso una estela de concupiscencia y cuando estaban en sus casas los hombres se alborotaban por el vapor que despedían unas hembras que siempre parecían acabadas de lavar.

Tal como era de esperarse, muy pronto el invento se apoderó del nombre de su autor y el perfume del poeta Abdala se volvió epónimo, pero jamás lo dejaron salir de los límites del pueblo. Era el arma secreta de las mujeres cetrinas de San Bernardo del Viento, que agarraron fama en toda la comarca, tanto así que de los caseríos vecinos empezaron a llegar los solteros en persecución de las núbiles. A esos forasteros que babeaban de lascivia era fácil reconocerlos porque andaban por el pueblo en estado de máxima alerta, el pescuezo estirado al viento y la nariz atenta, tratando de distinguir en el aire el olor que los llevara hasta la mujer de sus sueños. Un día el boticario Benito le hizo una visita a mi padre para proponerle que se asociaran en la explotación de una pequeña empresa industrial, pero él se negó de raíz, porque le parecía indecente lucrarse como un mercachifle de la inocencia de las flores.

—Me basta —le dijo— con la alegría de saber que este pueblo huele ahora mejor que antes.

En el carnaval de matrimonios y concubinatos que desató el perfume, las únicas que se quedaron solteras fueron mis tres hermanas, las hijas del inventor. La vida, a veces, es así de malvada. Aunque nunca hayan hecho comentario alguno sobre ese particular, yo sé, ya que los muertos terminamos por saberlo todo, que se quedaron solteras porque alguien tenía que encargarse de la casa mientras mi madre estaba en el baño.

Mi hermana Angelina, la segunda entre las tres, que heredó los ojos grandes y el carácter de hierro de la madre, tan voluntariosa que cuando quiere comerse un mango lo mira fijamente en su rama y el mango cae a sus pies, se convirtió en la novia de Galileo Benito Revollo, el hijo del boticario. El gallardo enamorado le llevaba al pie de la ventana unas serenatas interminables de boleros lánguidos, con un tocadiscos de baterías, y no dejaba dormir a los habitantes de la casa ni al vecindario.

—No son serenatas —se quejaba mi padre, ojeroso—. Son retretas.

Una madrugada de suspiros y despechos el tocadiscos de pasta se destripó de un porrazo contra el pretil de cemento de la bella Miguelina, que tenía las pestañas rizadas y las cejas revueltas, en el preciso instante en que Alberto Beltrán estaba cantando las cosas que me enamoran y te hacen dueña de mí.

—O apagan eso o les voy a echar agua caliente —gritó la madre de Miguelina, desde el dormitorio.

Los tres serenateros salimos en estampida, los perros ladraban a gusto, alguien abrió la puerta y el tocadiscos se hizo pedazos. Desde esa noche tuvimos que conformarnos con brindarles a las muchachas del pueblo las únicas serenatas silbadas de que se tenga noticia en la historia de San Bernardo del Viento. Como dicen que la necesidad tiene cara de perro, yo tuve que aprender el arte complejo de chiflar por las comisuras como un violín, Galileo imitaba los arpegios de un piano y el gallero Salomón Behaine, que en realidad era un músico frustrado, simulaba el sonido de los tambores golpeándose los cachetes llenos de aire.

—Silbando —se burlaba mi padre— por lo menos no hacen tanto escándalo, no se les raya el disco ni se les acaban las baterías.

Galileo, quizás a causa de su nombre premonitorio, era soñador y fantasioso, aficionado a las ciencias naturales y a las quimeras. En los tiempos de nuestra infancia compartida, cuando cazábamos cangrejos en la playa, tenía un limón gigante que giraba como un trompo si le daban cuerda con una piola. El rasgo más evidente de su bonhomía era una gran sonrisa angelical y se pasaba la vida riéndose sin un motivo aparente. Mayito Padilla sospechaba que era marica y cada vez que tenía la ocasión soltaba delante de la gente semejantes insinuaciones. Era sólo un muchacho candoroso, demasiado grande para su edad, y mientras sus amigos jugábamos béisbol de día y visitábamos con un disimulo de ladrones a las depravadas nocturnas del serrallo de Angermina, a él se le fue la juventud dedicado a estudiar las especies de polillas que merodean en los campos de San Bernardo del Viento. Logró identificar una docena de ellas, siete grises, cuatro blancas y una de color castaño que se creía extinguida por culpa de los plaguicidas que les echaban a los cultivos de arroz y de la lluvia de veneno que empleaban los visitadores de erradicación de la malaria para fumigar a los campesinos piojosos o para bañar con un rocío amarillento a los niños que tenían liendres y el cráneo pelado de tanto rascarse.

—Ahora sí estamos lindos en esta familia —exclamó mi madre—. Un marido poeta que no trabaja y un yerno inútil que colecciona cucarachas.

El noviazgo no duró mucho, sin embargo. Cuando Galileo se disponía a iniciar una nueva investigación sobre las categorías de mochuelos, clasificándolos por la variedad del plumaje, las diversas melodías del canto, el ángulo de la curvatura del pico y el tamaño de las patas, su padre fue atacado por una apoplejía artera, no pudo volver al mostrador de la botica y el hijo acabó arruinándose en sus aventuras delirantes para recuperar el tesoro del pirata. Tuvo que mudarse a la casa de un pariente materno, que era historiador en Cartagena de Indias, donde agotó el resto de su vida en un trabajo de archivero de un juzgado promiscuo municipal en el que abundaban las polillas de todos los colores.

Cancelados los amoríos de Angelina, y abandonada ya su perfumería de pacotilla, mi padre dio en la flor de construir un pequeño lagar en la enramada de la cocina para sacarles provecho a las uvas podridas. Las estrujaba con los pies descalzos, como había visto que hacían en su pueblo del Líbano, y fermentaba una nata mohosa de moscatel rancio, que mi madre empleaba para darles sabor a las recetas de cocina y para festejar los cumpleaños de la casa. En esas celebraciones repartían también un pudín de harina con bolitas de azúcar y los helados de frutas silvestres que la señora Baldé vendía a gritos por la calle, en una carretilla de mano, dándole manivela a su máquina de madera. De ella aprendí el secreto de ponerle sal al hielo para que no se derritiera. La heladera de la señora Baldé fue una de las señales inconfundibles de la era de progreso que se iniciaba en el pueblo, junto con el tocadiscos de pilas de Galileo, la bicicleta con un motor de lástima que compró el doctor Lepesqueur para visitar a sus pacientes de los caseríos, provocando por donde pasaba una pelotera de perros sublevados por los carraspeos del motor, y la nevera de gas que mi padre encargó a Montería. Fue la primera que hubo en la historia de San Bernardo del Viento y los montañeros que venían al mercado dominical hacían fila para mirarla de lejos, boquiabiertos, con una desconfianza maliciosa que les impedía acercarse, pero con tal recogimiento que la nevera parecía un altar. Era de una armazón blanca y esmaltada. La hacía funcionar una llama eterna que no espabilaba jamás. Los campesinos pasaban horas enteras contemplando la llama con una mirada de asombro que también parecía congelada en el tiempo. Al cabo de varios domingos apareció el compadre Jacinto Negrete en su caballo blanco y fue el primer visitante que se atrevió a abrir la nevera con su propia mano. Sintió que la humareda blanca lo hería en la cara. Mi padre se lo quedó reparando para ver sus reacciones.

—Una nevera es como el Polo Norte forrado en porcelana —le dijo a Jacinto Negrete, que tiritaba de escalofrío con la puerta en la mano.

A la semana siguiente, en vista del crecimiento de su audiencia de curiosos, mi padre desempolvó una vieja chaqueta de paño, olorosa a desinfectante de naftalina, que guardaba en el escaparate desde la vez en que el gordo Pinto tuvo que tomarle su primera fotografía para la cédula de extranjero.

—¿Quieren saber cómo es Bogotá? —preguntaba a los labriegos asustados.

Le ponía la chaqueta al primero de la fila, le anudaba la corbata negra en la camisa sin cuello y luego abría la nevera, con una ceremonia que intentaba ser dramática pero que resultaba cómica. Dejaba que el viento le calara la piel del rostro al interesado y después le pasaba el atuendo de maleante andino al que proseguía. «Así es Bogotá», anunciaba a la concurrencia maravillada; «ya no tienen que ir a conocerla».

Ahora disponíamos de agua helada en nuestra propia casa y mi padre nos mandaba a repartirla en botellas entre los vecinos a la hora del almuerzo. El gallero Salomón Behaine, para no quedarse atrás de aquel frenesí de prosperidad, consiguió en alguna parte un aparato de radio con un ojo verde en el centro, atornillado a un descomunal mueble de madera, y lo instalaba en la mitad de la calle para que todo el mundo pudiera oír los partidos de béisbol de Estados Unidos. Ese armatoste de los faraones egipcios emitía más ruido que sonidos y se encendía con un acumulador de automóvil que el gallero le compró a precio de gallina gorda al mismo cacharrero que se hacía pasar por gitano y andaba transformado en importador de motores y curandero de mordedura de culebras, para lo cual vendía una oración secreta y una pomada milagrosa. «Con la pomada es suficiente», le decía a su clientela, «pero, por si las moscas, récese la oración». Ocasiones hubo en que el juego se alargaba más de lo previsto, el acumulador se recalentaba y el auditorio corría a mi casa, en busca de agua helada para volver a enfriarlo.

—La sabiduría del universo es infinita —comentaba mi padre—. El agua helada acaba de salvar a la radiodifusión.

Así fue como el béisbol, que hasta entonces había sido una referencia lejana de los marineros que viajaban a Panamá, se convirtió en una tradición legendaria en aquella aldea sin más distracciones que ir a misa, emborracharse los sábados en los bailes de raspacanilla al son de la gaita de Ignacio de la Rosa y participar en el campeonato de remonta de cometa cuando empezaban a soplar los ventarrones de agosto. Tendrían que pasar varios años para que el señor Hildo Luna, un navegante de río en uso de buen retiro, desmantelara su barca de tablas y pusiera la planta inglesa de aceite pesado al servicio de su nuevo negocio, la sala de cine, que fue lo primero que se quemó en el incendio de marzo.

Lo llamaban Terry, nació quién sabe dónde, llegó al pueblo quién sabe cómo, buscando quién sabe qué, y en la nariz partida en tres partes era patente que había sido boxeador, lo mismo que en las cicatrices mal curadas de los párpados. Era un hombre de pelo amarillo y edad mediana, que caminaba con un ritmo aguajero de cantante de guarachas, golpeando una mano abierta contra la otra cerrada, como hacen los beisbolistas para descargar el exceso de entusiasmo cuando están en el campo de juego. Venía de convalecer un paludismo recurrente en el hospital americano de la Zona del Canal y cargaba un bate de recuerdo. Por su propia cuenta forró una piedra con hilo y tiras de esparadrapo. Fue lo más parecido a una pelota que pudo fabricar.

Una tarde, con los pies descalzos y el bate al hombro, el Terry se paseó triunfante por la placita de los perros, convocó a los hombres que estaban en la sala de billares y organizó el primer encuentro entre dos equipos. El más fervoroso de los nuevos jugadores era Pascual Miranda, un negro flaco y risueño al que llamaban la Perra, y había nacido en una sementera del pueblo de Trementino del Mar. Durante la semana vivía de su oficio de jornalero, ordeñando, quemando guardarrayas en el monte y arreando ganado ajeno, y el domingo llegaba al pueblo, vendía una docena de huevos, se iba para el campo de juego, ponía su machete en el suelo, se remangaba la camisa de dril y empezaba a lanzar. Era un *pitcher* de brazo rápido que no paraba de reírse, y por eso sus adversarios lo tomaron por un jactancioso sin escrúpulos que se burlaba de ellos.

—De ninguna manera —replicaba—. Si me río es porque me estoy divirtiendo.

En el primer partido reglamentario, con la plaza llena de curiosos y de sol, y de unas mujeres que vendían guarapo de caña y empanadas de maíz, la Perra inventó un nuevo lanzamiento, una curva que a mitad de camino se desplomaba con un aire de languidez, como una estrella inocente caída del cielo, y de pronto se precipitaba sobre los cojones del bateador, para imponerle respeto, como si quisiera caparlo, y lo obligaba a arrojarse de espaldas sobre el arenal de la calle. La escena era tan pasmosa que la muchedumbre comenzó a reírse con las mismas ganas del lanzador. El primer hombre que se enfrentó a esa bola de humo fue Cristobalino Cedeño, un mulato malencarado y con facciones de caballo, que ya era bastante viejo para tales menesteres, y no vio venir la bola mugrienta que volaba entre las primeras sombras de la vespertina. O el cuerpo no le dio para más. El pelotazo, como una metralla, le reventó el ojo y lo dejó tuerto para siempre. Desde entonces, aquel lanzamiento histórico sería conocido en los pueblos del río como «la curva del general Cedeño». Nunca había sido general, ni tan sólo militar, ni un chorizo a la vela, ni había participado en batalla alguna, ni siquiera en una charamusca de cantina. Pero desde el día del bolazo lo llaman así porque anda armado con una espada de plástico, para espantar a los perros ladinos que mariposean por la plaza y tratan de atacarlo por el lado del ojo malo, a sabiendas de que no puede verlos. El remoquete terminó de enloquecerlo, se creyó que en realidad es un general, se puso un kepis de papel de periódico, tachonó con charreteras de hojalata las hombreras de su camisa, habla a solas en las esquinas, se dejó crecer el pelo hasta la espalda, le envía telegramas imaginarios al presidente de la república, reclamando una pensión deportiva por su desgracia, y en el portal de la iglesia pronuncia discursos enardecidos en los que asegura que Pascual Miranda le vendió el alma al diablo a cambio de su curva invulnerable.

El Terry, que era al mismo tiempo director y jugador, padre y madre de sus pupilos, paño de lágrimas, masajista y estratega, estableció el primer equipo de beisbolistas de San Bernardo del Viento, pero no pudo conseguir quien estuviera dispuesto a financiar el costo de los implementos necesarios para el juego. El doctor Lepesqueur le propinó una larga perorata contra los uniformes de cualquier naturaleza porque, según dijo, lo que hacen es promover los criterios unánimes y acaban con la saludable diversidad de opiniones entre los hombres. Mi padre, por el contrario, sostuvo que el béisbol fortalece el carácter y aguza la imaginación. El Terry no entendió ni una palabra de aquella discusión jeroglífica, y tuvo que conformarse con capitanear a unos peloteros que seguían jugando con la ropa de diario, la bola de piedra y unos guantes de lona rellenos con tripas de trapo que les cosieron las mujeres del pueblo. Andrajosos y hambrientos, sin haber desayunado, se marchaban de correría el domingo en la madrugada por los pueblos de la comarca y al atardecer regresaban victoriosos, montados en sus burros que rebuznaban de alegría, y vitoreados por el oleaje humano que les daba comida y cerveza.

Un viernes de verano, mientras entrenaban para enfrentarse al temible equipo de Lorica, que ya disponía de sortilegios y embrujos con el fin de capotear con éxito los peligros de la curva del general

Cedeño, los propios jugadores hicieron una reunión secreta y le dijeron al Terry lo que el pueblo entero sabía: que ya estaba demasiado viejo para jugar en la tercera base. No respondió nada. Le dio un apretón de mano a cada uno, se quitó el guante y lo puso sobre la almohadilla, les regaló el bate inseparable que había traído de Panamá, dio media vuelta y se fue arrastrando los pies. Lo único que se llevó fue la gorra, porque no quería que nadie supiera que era calvo. Dos días después, el mismo domingo y a la misma hora en que concluyó el único partido que la novena de San Bernardo del Viento había perdido hasta entonces, y cuando el gentío regresaba cabizbajo a sus casas, la Perra Miranda lo encontró muerto en la vieja cocina del puesto de salud, que le servía de vivienda. Había una estera sudada en el suelo y sobre ella unos guantes descosidos de boxeador. Estaba colgado de una viga del techo y el cuerpo se balanceaba con la brisa del verano. Aún tenía puesta la gorra de beisbolista. Los testigos misericordiosos que ayudaron a amortajarlo dicen que su cara no tenía signos de espanto, sino de tristeza. Mayito Padilla, que pudo verlo mientras lo descendían de la horca, jura por su madre que dos lágrimas se le habían resecado al cadáver en las mejillas.

El cabo Felipe Herrán, que era el alcalde, advirtió que había necesidad de hacerle una autopsia para cumplir con los requisitos de ley y registrar en el acta de levantamiento las causas minuciosas de la muerte. Pero el doctor Lepesqueur se negó a sus exigencias, no sólo por el respeto que sentía ante el coraje de los suicidas, sino porque le pareció un formalismo inútil.

—El suicidio —le dijo al cabo, citando a Camus— es el único problema serio con que se enfrenta la filosofía.

El cabo era un músico reputado que había compuesto la afamada canción en homenaje a Roque Guzmán, que venía por el camino de Manguelito, pero a pesar de su vocación artística desconfiaba de las filigranas filosóficas de un presidiario francés y siguió insistiendo en el cumplimiento de sus deberes de empleado público.

—Déjese de pendejadas —lo regañó el doctor—. Ponga en su informe que a ese pobre hombre lo mató la vida.

La segunda semana de agosto llegó al pueblo un emisario del mentado equipo de los Yankees de Nueva York y le dijo a la Perra que quería verlo lanzar la curva, cuya fama se había extendido tanto que era motivo de acaloradas discusiones hasta en los cafetines de Panamá y los estadios de Venezuela. El emisario lo observaba con pasmo, apuntaba garabatos en una libreta, el negro sudaba y sonreía y al cabo de tres horas, cuando la plaza ya se estaba quedando a oscuras, le ofreció un contrato de trabajo.

Mi padre, con un diccionario en la mano, les sirvió de traductor, buscando cada palabra a medida que hablaban y reconstruyendo a trechos los retazos de la conversación.

—Vivo de ordeñar vacas —dijo la Perra— y si juego es porque me gusta. No me parece decente cobrar por divertirme.

El emisario, que algo entendía del castellano, lo miró de una manera directa a la cara y masculló entre dientes lo que parecía una palabrota, que mi padre no tuvo tiempo de averiguar en el libro.

—Además —agregó la Perra—, del idioma inglés yo no sé de la misa la media.

Mi padre se sintió de nuevo maravillado por los prodigios diarios que ocurren en el Caribe, y pensó, mientras rastreaba deprisa en cada página, que esa era la única región del mundo donde los campesinos iletrados todavía hablaban como el Cid Campeador.

—*In English, I don't know of the mass the half* —dijo el intérprete, letra a letra, y ahora fue el yankee rojizo el que no entendió ni jota de lo que pretendían decirle en esa ensalada de idiomas.

El emisario se fue por donde había venido, en la primera lancha de la mañana siguiente, y la Perra le hizo una visita a mi padre y le llevó dos gallinas de regalo.

—Le agradezco lo que quiso hacer por mí —le dijo al despedirse—, pero es que el béisbol no vale la pena desde que se murió el Terry.

No volvió a jugar en su vida, por mucho que le rogaron, ni nadie lo vio tocando otra vez una pelota. Un periodista descaminado y romántico, que por esa época se dejaba crecer una horrible barba blanca, se enteró de los acontecimientos y escribió la historia completa de la tragedia del Terry. Dijo que el béisbol es un juego de poetas y astronautas que no están preparados para resistir las crudezas de la vida ni las crueldades de la ingratitud humana. Hasta verdad será. En el béisbol, como en el amor y en la magia, los hechos no son lo que parecen, y el asunto no consiste en triunfar, sino en fracasar con gracia. Ayer vi pasar a lo lejos el espíritu del Terry. Supe que era él porque llevaba calada la gorra roja con tres estrellas blancas en la frente, la gorra que distinguía en toda la región del Caribe al glorioso equipo de San Bernardo del Viento. La muerte, que no es una maestra tan rigurosa como la vida, me ha enseñado que los fantasmas de la gente que uno ama no son sobrecogedores ni infunden miedo. Los espíritus de nuestros muertos no tienen huesos, ni carnes tumefactas, y en las órbitas de los ojos les florecen las buganvilias. Tampoco usan zapatos ni ropa, pero al fantasma de un miope es posible identificarlo porque sigue cargando sus anteojos después de muerto, por lo que vine a saber que la miopía aguda no se corrige ni con la muerte, aunque los médicos digan lo contrario. En estos años de muerto también he aprendido a distinguir a los unos de los otros. El espíritu de las mujeres es de un tenue color de rosa y el de los hombres es blanco, cremoso y casi amarillo, como la leche que batían en mi casa para hacer el suero de la mantequilla o el helado de vainilla con astillas de canela que hacía la señora Baldé. El fantasma de los niños, en cambio, no tiene color ni diferencias de sexo, pero tiene una forma corpórea blanda y suave, como el algodón de azúcar que venden en las ferias de los pueblos. El fantasma de los beisbolistas es el único a través del cual puede pasar cantando el viento.

La otra noche, mientras vagaba en los últimos linderos del cielo, vi volar junto a mí el espíritu de aquel niño que se ahogó cuando nadábamos en las aguas del caño de la Balsa. Tenía la piel transparente y la mirada de asombro de los ahogados. No pudo reconocerme, quizás porque él murió primero y yo soy ahora treinta años más viejo que la última vez que me vio, boqueando sin aire en el ataque de epilepsia, pero supe que era él porque estaba exacto al día en que rescataron su cadáver atrapado entre las piedras del caño. Lo que quiero decir es que en los apacibles territorios donde gobierna la muerte, no es lo mismo un espíritu joven que un fantasma viejo, porque la muerte también tiene su lógica, y uno conserva en la memoria inquebrantable de los muertos la fisonomía de los que murieron mucho tiempo antes que uno, pero ellos no tienen manera de descubrir a quienes murieron muchos años después que ellos. El paso del tiempo también hace estragos entre los muertos. Me consuela saber que los beisbolistas buenos tienen un lugar reservado en el cielo.

8

EL PADRE

Mi nombre es Abraham Abdala, pero a la gente de este pueblo se le ha metido en la cabeza que soy poeta, y poeta me llaman, hasta en mi propia cara. El apodo tiene más de cariñoso que de merecido, porque lo cierto es que nunca he vuelto a perpetrar versos desde aquellos poemas que me quedaron horrendos y me mataron de la vergüenza. Dios, en su infinita generosidad, que es tan insondable como sus designios, quiso que no los viera nadie más que yo, ni siquiera mi mujer, y me bendijo con el buen juicio que se requería para quemarlos sin remordimientos en el fogón del patio. Destino apenas apropiado, ahora que lo pienso bien, para unos malos sonetos sobre un incendio. Creo que aprendí mi lección para siempre y el episodio me enseñó que lo único mejor que escribir poemas es leerlos.

Es más allá de medianoche y adentro hace mucho calor. Afuera cantan las ranas, desesperadas por la sed, y una gata pervertida llora de amor en el techo de zinc. Acabo de salir al porche con la esperanza de encontrar aunque sean las últimas migajas del viento, pero la penumbra está envuelta en una pomada viscosa. No se mueve ni una sola hoja. Desde el corredor de la calle oigo los ronquidos de buque de vapor de mi mujer, que duerme con un chapaleo de zozobra en el sudor de la cama.

Tiene desperfectos en la salud y yo soy el vigilante que vela su sueño antes de que lleguen las primeras luces de la alborada, que vendrán del lado de los pantanos con sus reflejos grises y anaranjados para despertar al pueblo, junto con los repiques del padre Agudelo llamando a misa y los cuchicheos de las mujeres que llevan sus múcuras a buscar agua del río. Luego aparecerán los campesinos de las parcelas con sus burros al pasitrote, vendiendo patillas, cántaros de leche recién ordeñada y ron de los alambiques clandestinos, hecho con bananos fermentados y una pizca de pólvora.

Cuando empezaron las primeras ráfagas de calor, yo estaba soñando que llovía a raudales y un alcatraz perdido volaba entre las quimeras de mi sueño. Me despertó el viejo reloj de la sala, que está descompuesto desde los tiempos del humo del incendio y ahora suena cuando le da la gana, aunque nunca concuerdan las campanadas con la hora. Antes de volverme a quedar dormido pude contemplar, a través de la ventana alta del dormitorio, la masa gris de la niebla suspendida a lo lejos sobre el agua de la bahía. La bruma de los amaneceres se parece también al humo que dañó el reloj y si uno extendiera la mano podría tocarla. No llovía más que en mi sueño y recuperé un recuerdo que se me había descarriado entre la nostalgia de mi llegada a San Bernardo del Viento. Acabo de confirmar que no se trata de trampas de la memoria anciana que yerra con frecuencia al reconstruir los años perdidos. Es cierto que la niebla camina cuando el verano se está acabando. Camina por la calle, como la gente, da vueltas en las esquinas y de repente se queda detenida por el bochorno, hasta que el primer rayo de sol de la mañana la atraviesa con una huella sin tiempo, y entonces se disuelve en el aire.

En estos días de quebrantos y enfermedades, el dolor del reumatismo le acuchilla los músculos y la hace temblar de fiebre. A menudo la he oído rezando en la oscuridad, con un balbuceo apagado. El doctor Lepesqueur pasa por aquí tres veces a la semana y le masajea las articulaciones inflamadas mientras discute con ella en esa trifulca eterna que inventaron para comunicarse. Se le ruborizan los codos. Despierta de un modo entrecortado a lo largo de la noche, entumecida por los calambres o delirando de calenturas, y hay ocasiones en que ni siquiera se puede levantar de la cama por sus propios pies. Los dedos, sus hermosos dedos de pianista, se le han ido torciendo como tallos resecos por el verano. Sufre mucho y yo sufro con ella. Dios sabe que estoy dispuesto a renunciar a cualquier cosa, o a todas las cosas, incluso a la poesía y los crucigramas, si con ello consigo que mi mujer viva unos años más, aunque sean pocos. Anoche, antes de sentarse a la mesa con sus cómplices de la partida de póquer, sacó fuerzas de la adversidad y cocinó para mí como en los buenos tiempos, con un ánimo juvenil y un espíritu renovado. Mientras trajinaba con las cacerolas en la cocina del baño se burló de mis libros de versos amarillentos y de los crucigramas que ya he resuelto cuatro o cinco veces. Hizo un dulce de *halewe* con pasta de ajonjolí rebosada en agua de rosas y una sopa de *chisbárak*. Los apetitosos sombreritos de harina de trigo, rellenos de carne molida y cebolla picada, nadaban en la leche espesa. Tuvo que revolverla sin descanso, para que no se pegara al fondo de la vasija, y de pronto se quedó con el cucharón en alto, a medio camino, y me miró con unos ojos de espanto que clamaban ayuda.

—No puedo rebullir la sopa —me dijo—. Tengo las manos engarrotadas de dolor.

—Para eso estoy yo aquí —le dije, con la intención de removerle el agua estancada de la memoria, y ella recordó de inmediato las palabras de aquella noche tormentosa en la montaña.

—Cuando éramos jóvenes —me dijo, llorando de irritación— tuviste que ayudarme a cagar. Y en la vejez tienes que ayudarme a cocinar.

Ya no somos los amantes fogosos de otros tiempos, cuando teníamos los mismos ímpetus incendiarios de la gata escandalosa que está reclamando compañía en el tejado. Conforme pasaba el tiempo y su estado empeoraba, me fui convirtiendo en lo que soy ahora: el hombre devoto que comparte su risa y seca sus lágrimas. Su postración es la corona de espinas que yo cargo en la cabeza. Recuerdo haberle dicho en alguna ocasión a mi hijo, que en paz descanse, que la vida es un arte. El transcurso de la misma vida me ha enseñado, sin embargo, una diferencia frágil y casi invisible. Apenas ahora vengo a descubrir, con una sagacidad tardía, y por lo mismo inútil, que el arte verdadero de la vida no consiste en vivirla, sino en saberla envejecer.

El único defecto que tiene la experiencia es su mala costumbre de llegar demasiado tarde, como la peinilla que le regalaron al calvo, y cuando uno necesita ponerla en práctica ya sabe cómo, pero no tiene con qué. Mi mujer dice, cada vez que alguien le habla de ese tema, que la experiencia es sabia, pero decorativa, y en eso se parece a la sombra que el cuerpo proyecta sobre el piso en las mañanas rutilantes del verano. La sombra lo sigue a uno a todas partes, pero siempre va detrás, inasible y rezagada. Se detiene si uno se detiene y sólo camina si uno camina, pero no toma la iniciativa ni avanza para ponerse al frente. No hay manera de lograr que coincidan la sombra y el cuerpo antes de acabarse el día, y vienen a juntarse apenas en el ocaso, en ese momento en que el universo se vuelve una mancha de sombras. La vida es igual.

Mi mujer, como la experiencia, tiene muchos defectos, y encubrírselos ahora porque está enferma no sería honrado de mi parte, ni sería tampoco un acto piadoso, sino un agravio inmerecido a la altanería de su carácter, que es su mayor motivo de orgullo. Como no tiene sentido del humor, actúa siempre, digámoslo así, con la seguridad arrogante de quien ignora que la duda existe. A eso se debe que el metal de su voz sea tan enfático. Yo, por mi lado, creo que la incertidumbre es el camino hacia la madurez. O por lo menos hace precavido al hombre. Si no fuera por las vacilaciones, uno estaría adiestrado para predecir el futuro, y la vida sería tan aburrida como un partido de béisbol cuyo resultado se conoce de antemano. Admito que a veces exagero esas cautelas y me torno tan indeciso como el ciego que camina tanteando las paredes para no tropezarse. No la culpo ni la recrimino, y es probable que sienta envidia de su carácter terminante. Es volcánica e impulsiva, a pesar de su arraigada afición por dos actividades tan herméticas y enigmáticas como el póquer y los negocios. Tiene una mandarria en el genio, o en el perrenque, como dicen los pescadores de la vega del río. Yo prefiero tomar las decisiones con serenidad y sin calores en la cabeza, y por eso la gente que no me conoce puede llevarse la impresión equívoca de que soy un hombre frío y calculador, cuando en realidad no soy más que un pobre viejo indeciso.

La gata me saca de mis meditaciones con un nuevo gruñido de felicidad. Ha conseguido su machucante de esta noche, y ahora no grita por escasez, sino por abundancia. Con su pan se lo coma.

Soy un hombre inseguro, para decirlo sin más rodeos, y me confundo a la hora de despachar un asunto. Ella ejecuta y yo titubeo. La ventaja de mi sistema es que yo cometo menos errores y la desventaja de ella es que se niega a reconocer los suyos. Mi hijo, que en paz descanse, se parecía a su madre, con una terquedad sin medida ni prudencia, y por eso lo mató el toro berrendo en la corraleja. Nuestras hijas se parecen a mí, y por eso se quedaron solteras, pesando cada decisión en una báscula de joyero, y mientras lo pensaban la vida pasó de largo. A mi mujer hay que atajarla; a mí tienen que empujarme. Ella es temeraria y yo soy un cobarde. Mi mujer, como las vacas que pastan en los potreros de Venturolli, mete la cabeza por un portillo y no hay poder humano ni divino que la haga desistir de sus propósitos, aunque se degüelle con el alambre de púas. Llevándole la contraria, yo sostengo que siempre es posible armar una verdad completa si uno se pone a juntar los fragmentos dispersos de un desacuerdo.

—Tú eres el espíritu de la contradicción —suele decirme mi mujer, desdeñosa.

Lo pienso bien y no estoy seguro de que yo tenga la razón y ella sea la que no da pie con bola. Nunca se sabe. Somos el alfa y la omega de los viejos griegos, pero ha sido mi compañera sin una sola grieta a lo largo de sesenta años, y sé que cuento con ella en las peores ansiedades de mi inconstancia. Yo soy voluble y ella es la que decide, con su ciencia infusa, cuándo me debe soltar la rienda o templarme las bridas. Ahora vivo confinado en las cuatro paredes de la vejez y cada día dependo más de los consejos y las decisiones de mi mujer. A esta edad, para lo único que me sirve el cuerpo es para cargar mi corazón, y ella ha sido siempre la brújula que me orienta y el bastón en que se apoya mi vejez. Jamás le hice, como lo hago ahora que se está muriendo, el balance de sus defectos. Los tiene todos, pero tiene también la más grande de todas las virtudes: es honrada y cristalina como un vaso de agua. Se puede ver un cielo sin nubes a través de su cabeza. Tiene el alma limpia y sin repliegues. Nadie puede considerar que ella le está haciendo un fraude porque no tiene un lugar reservado para el disimulo. Es espontánea y rotunda, como una bofetada. Nunca la he visto fingiendo, ni siquiera cuando tuvo la oportunidad de engatusar a ese italiano loco para evitarle a este pueblo la maldición del incendio, ni la vez aquella en que yo estaba sentado en la puerta de la tienda, embebido en la lectura, y la mestiza intrépida que vende pescados me pasó la mano por la calva y me puso los senos en la cara.

—No pierdas tu tiempo, muchacha —le gritó mi mujer—, que a ese hombre le faltan pelotas para el adulterio.

Tenía razón, como siempre, y gracias a Dios la mulata no entendió lo que significa adulterio. La única mujer que estuvo a punto de desordenarme la vida, en aquella época de finales de la segunda guerra, fue una vivandera inglesa de las Antillas Mayores, que apareció en el pueblo vendiendo pañoletas de contrabando y perfumes de imitación. Era un amasijo de blanco con indio, un cuarterón de negra, nieta de algún cocinero chino que guisaba arroz en Jamaica. Era ancha de caderas, estrecha de cintura y tenía el color de miel de la madera curada. Me detuve a tiempo.

Ya está amaneciendo. Empieza a alborear el día al otro lado de los pantanos. La gata, ahíta y satisfecha, ronca ahora en armonía con mi mujer, que por fin ha conseguido conciliar el sueño con la fiebre. El amanecer es la yema de una flor que revienta. La vejez, en cambio, empieza cuando uno siente que le ha llegado la hora de recoger los frutos de la experiencia, ponerlos en orden y prepararse para usarlos, como se recogen las cosechas. Experiencia es el nombre que la gente atribuye a sus recuerdos, y a partir de ahí se vuelve lacrimosa e inocua. Los recuerdos son apenas el paisaje balsámico de la vejez, hasta que llegan esos trastornos seniles que atacan la memoria y la vida se encarga de poner otra vez las cosas en su sitio. Entonces los días se vuelven más livianos, sin las cargas que impone la conciencia. Los seres humanos ignoran que la gracia de una vejez feliz no consiste en conjurar con un suspiro los vapores tramposos del pasado, sino en mantener intacta alguna esperanza para mañana. Yo espero que hasta el día de mi último quejido el sol vuelva a salir en el horizonte, porque mi horizonte es ilimitado, y que nunca falte un pájaro nuevo que cante en el patio. Soy como esa gata libertina que esta noche inventará otra esperanza, el galán de sus sueños le hará un bisbiseo en la oreja y ella volverá a pregonar con alaridos el fragor de sus pasiones. Porque la vejez puede ser demoledora, pero la poesía, como la gata, es el triunfo del espíritu y la única prueba de su carácter imbatible. La hierba seguirá creciendo y yo estaré ahí para oírla crecer.

—Poeta —repitió el doctor Lepesqueur, por tercera vez.

—Mande, caudillo —le dije, regresando de sopetón a la realidad del baño.

—¿Usted jugaría esta mano? —me preguntó, levantando los naipes hacia mí, que desde la butaca lo veía jugar con mi mujer, el boticario Benito y el historiador convertido en leguleyo.

—No sé jugar eso —le dije—. Ni siquiera distingo un as de una reina.

Me asusta el póquer por lo que tiene de combate más que de juego. Y si fuera un juego no sería de azar, como cree mi mujer, sino de habilidad, en el que ganan los más astutos, los arteros, los alevosos y taimados. Reniego de una competencia en la que se premian la maldad y la malicia, la destreza para mentir y la hipocresía. Un buen ejemplo es el boticario, que está sentado frente a mí, baño de por medio, con sus ojitos acuosos de víbora enferma que no dejan traslucir ninguno de sus pensamientos, tramando sus perrerías de apopléjico. No he podido entender cuál es la fascinación de un juego que lo induce a uno a llenarse el alma de emociones para luego impedirles que salgan a la cara. Es la única forma que yo conozco de un extraño masoquismo íntimo que no requiere dolor físico. ¿Para qué estimula el póquer la alegría o las penas, si su táctica estriba en ocultarlas? El póquer, al contrario de la poesía, es la escuela en que un hombre aprende el arte perverso de tragarse sus propias emociones. Las emociones son el combustible que acelera el corazón y lo hace cantar. El póquer, en cambio, lo contrae y lo silencia. Es humillante. Esa es la razón por la que me desagrada. Es un juego de cálculo y de silencio, tan diferente del béisbol, que es una fiesta de gritos y de jubilosa alegría. El póquer es desalmado. Tampoco me gusta ver a otros jugándolo porque no disfrutan el placer incomparable de alborozarse, sino que se ponen tensos y erizados, como las fieras en la espesura. En las mesas de póquer, al igual que en la espesura, el aire huele a sangre. No entiendo, en consecuencia, cuál es la utilidad de un juego que le impide a la gente mostrarse contenta o expresar sus pesares. Por lo contrario, cuando yo aún salía a la calle, me gustaba practicar el juego del billar, y no únicamente porque en el salón de Nemesio uno se divierte conversando con los amigos, sino porque el billar es sincero, sin barajas tapadas y a la vista de la concurrencia. El billar es una hermosa combinación de geometría y poesía a través de las figuras que la imaginación desenfrenada va diseñando sobre el paño verde. En el billar, como en el mar, cualquier disparate que se le ocurra a uno es posible, aunque al final resulte un descalabro, porque su esencia no radica en tener éxito, sino en edificar un castillo en el aire y una torre en el viento. Lo malo es que la crudeza de la vida se parece al póquer más que a la poesía, pero yo me niego a aceptar sus condiciones.

—Te entiendo —exclama mi mujer, barajando el naipe y penetrando de nuevo en mi cabeza—. Tú no sirves para el póquer porque a ti te engaña todo el mundo.

Tiene el hábito irritante de leer los pensamientos ajenos. Ya no me sorprende que lo haga. Hay ocasiones en que ni siquiera tengo que abrir la boca para que María descubra lo que pienso. No creo, como suponen mis hijas, que ella sea capaz de desentrañar por telepatía las recónditas abstracciones de otras personas. En mi caso, sostengo con firmeza que puede hacerlo porque estamos unidos por la costumbre, que es un lazo más intenso que la adivinación y produce menos ansiedades. Los años de vida en común han entablado entre ella y yo unos enlaces inalámbricos a flor de piel, un vínculo como el que existe entre el agua y la toalla del baño.

Decirme que soy cándido es un reproche que me hace cada día. Anda por ahí repitiendo en una letanía que los demás se aprovechan de mí. Es cierto. La única vez que intenté hacer un negocio, recién llegado a este pueblo, me engañaron en la compra de una vaca que no existía y quedé curado para siempre de veleidades comerciales. Pero desde entonces prefiero que me engañen en vez de pasarme la vida, como ella, desconfiando del prójimo. Mi mujer sospecha que tengo una tendencia evidente a la bobería. Yo no la contradigo ni entro en esas discusiones tan resbalosas. El paso del tiempo y el acopio de tantas experiencias estériles me han demostrado que nunca se debe pelear con una mujer. Puede tratarse de la esposa, la amante, la hija, la hermana, tu propia madre o una simple amiga, pero no se conoce todavía la historia del primer hombre que haya logrado ganarle una disputa a una mujer. No en vano la mujer es la única criatura de la naturaleza que tiene la habilidad perpetua de conseguir siempre sus propósitos, y después pone una implorante expresión de víctima, de modo que uno siempre pierde pero se queda con una extraña sensación de culpa y el propósito de enmendarse de unas barbaridades que no ha cometido. Yo sé cómo digo que el mejor negocio que un hombre puede hacer en esta vida es dejar que las mujeres hagan su voluntad y se salgan siempre con la suya.

Gracias a la fidelidad rigurosa que yo profeso a esos principios, hemos vivido juntos por sesenta años y jamás tuvimos una pelotera, ni siquiera una discusión memorable, ni grande ni pequeña, a pesar del carácter ríspido de mi mujer y su inclinación a confrontarlo a uno. A mi edad y la de ella, el amor es una convivencia pacífica que consiste en perdonarse los defectos y exagerarse las virtudes. A estas alturas del matrimonio el amor es un acto de tolerancia y también es la forma más frecuente de cometer un error. A medida que uno envejece se equivoca al juzgar sus propios sentimientos y las intenciones de los demás. Y se equivocan los demás al enjuiciarlo a uno.

—Consígase una muchachona saludable, poeta —me dijo el otro día el gallero Salomón Behaine, que tiene una querida en cada calle y un hijo en cada esquina.

—Le agradezco sus buenos deseos —le dije—, pero ya estoy muy viejo para hacer el ridículo.

No se trata sólo del decoro de un viejo. A mi edad el amor es un fuego que todavía arde, aunque ya no quema. Es un rescoldo que se va convirtiendo en ceniza. Ladra pero no muerde. A los ochenta años que voy a cumplir, el amor arrebatado de otros tiempos fluye hacia mí como un río tranquilo, rumoroso y apacible, sin desbordamientos ni inundaciones. Ya no salta entre las piedras ni se desvía en los recodos. Sigue su curso con lentitud, en pos de la desembocadura, que es la muerte. Comprendo muy bien, aunque el gallero no lo crea, que la fruta del cercado ajeno es más sabrosa que la propia, y en este pueblo abundan las pollitas suculentas que están dispuestas a amancebarse con un vejestorio de buen ver, como yo o como él, y fácil de enredar, además, siempre y cuando les regale un juego de muebles de alcoba y les repare las paredes del rancho. Todas son más bellas, sensuales y provocativas que mi mujer, y más jóvenes, es cierto, pero ninguna es mejor que ella ni tiene su entereza ni su fuerza de ánimo. Ha envejecido a mi lado y los ardores desordenados de la pasión se le han ido enfriando junto a mí. Cuando se casó conmigo tenía el pecho erguido, los muslos firmes, las manos traviesas y el corazón dispuesto, pero después tuvo siete embarazos, parió cuatro hijos míos y su terso vientre de pedernal se le fue poniendo flácido.

Los senos imperiales, que en las lejanas noches de la montaña cubría con mi pecho, para que no los ofendiera el viento, ahora son dos flores mustias. Lo único que conserva intacto es el brillo de su mirada gris. Ahora que mi mujer es una víctima de las injurias que comete la vejez, jamás olvido que yo soy una de las causas principales de esa decrepitud. Le he visto nacer las arrugas una por una. Como si fuera poco, todavía le estoy debiendo el vestido de novia y el anillo de compromiso.

—Dos pares y un seis —dijo el boticario Benito—. Y vámonos, que el poeta se está durmiendo y mañana tenemos entierro.

Lo había olvidado. Esta tarde murió el señor Tántalo Mendoza, telegrafista del pueblo, que andaba todo el día agitando en el aire un mazo de llaves y hablaba a saltos, como si estuviera transmitiendo un mensaje con su manipulador de cobre, y padeció el suplicio de pasarse la vida haciendo dieta, pero engordaba más mientras menos comía.

Empiezo a divagar de nuevo. Lo que quiero decir es que no digo lo que vengo diciendo sólo por amor o por virtuoso, sino, sobre todo, por pusilánime. Reconozco que para hacer piruetas en una alcoba ajena me sobra imaginación, pero me faltan arrestos. Es lo mismo que me ocurre en el póquer. El amor está compuesto, en proporciones iguales, por una dosis de fantasía y otra de coraje. Si de eso se trata, debo decir que la imaginación es una forma inofensiva de la audacia. Como murmura con razón mi hija Yamile, que es tan deslenguada, soy un hombre cuya vida tediosa y sin encantos no tiene por qué causarles mayor interés a las mujeres. Detesto las tremolinas que van unidas a una aventura, las ligerezas del amor furtivo que enturbian el alma y oscurecen la razón, las angustias que se desatan en el estómago, las excusas solapadas, las mentiras chapuceras, los escapes clandestinos, las manos que sudan, los simulacros y las engañifas. Las úlceras son dignas de mejor causa. Cuando yo tenía veinte años, no necesitaba la imaginación para seducir a una muchacha. Me bastaba con la poesía. Ahora la imaginación es lo único ardiente que me queda. Aprecio, como si fuera el tesoro del pirata sin cabeza, la rutina de mi existencia adocenada por encima de esas cacerías nocturnas en palomares que no conozco y me resultan adversos. Mi vida gira al revés de los riesgos. Lo que me tranquiliza y me hace menos inseguro es saber que cada cosa está siempre en su lugar, sin sorpresas, y creo que las novelerías envejecen a la gente y le alteran la digestión. Me llenan de contento los hábitos invariables del mundo, el sol que sale de día porque la luna sale de noche, la lluvia que cae en invierno y el viento que sopla en verano. Vivo en reposo, sólo cultivo emociones estéticas y nada me desconcierta ya, salvo el nacimiento del botón de una rosa, un pájaro que estrena gorjeo o un crucigrama nuevo. Contemplo el nacimiento del mundo todas las mañanas, como si fuera la primera vez, y como si nunca más fuera a ocurrir. He descubierto que el secreto de la felicidad auténtica consiste en encontrar una monotonía que te agrade y se ajuste a tu cuerpo. Debido a esa convicción arraigada, resolví que no saldría más de mi casa. Aquí está lo poco que me exige mi modesta búsqueda de la dicha: frutas, flores, mi mujer a pesar de sus achaques, los libros de versos que son más frescos mientras más envejecen, mis crucigramas repetidos hasta el infinito, los periódicos que ya parecen pergaminos, la mata de uvas y las plantas del jardín, que podo con mis propias manos. Hay muchas cosas que quiero, pero María es lo único que necesito. Me abate, eso sí, la congoja de esta ignorancia que no me permite saber con certeza cuál es la diferencia que hay, si es que hay alguna, entre costumbre y hábito, entre rutina y tradición, entre el desengaño y la flaqueza, entre la experiencia y el escarmiento. El escarmiento es para lo único que debería servir la experiencia, pero no conozco todavía el primer hombre que haya escarmentado con su propio cuero. Lo triste es que ya no me alcanza la vida para averiguarlo.

Di un cabezazo contra el pecho y quedé despierto cuando los jugadores se habían marchado. Hago el intento de abandonar el baño en puntillas, para no despertar a mi mujer, que hoy también se ha acostado con fiebre. En los últimos tiempos le han salido unos nudos tenaces bajo la piel. El doctor Lepesqueur le advirtió que son secuelas previsibles del reumatismo.

—Tengo el cuerpo disgustado —dice ella, tocándose la frente.

Le doy un beso y termino de taparla con la sábana. He consultado los libros que me empresta el médico y estoy al tanto de las alteraciones que la enfermedad empezará a causarle en el corazón a medida que suba la fiebre y la infección se extienda. Entonces la muerte romperá en pedazos mi rutina y ni yo ni esta casa volveremos a ser lo que éramos. Manrique decía que así se pasa la vida y así se viene la muerte, tan callando. Pero no me doy por vencido. Me alienta la esperanza, que es la materia de que están hechos mis sueños, y me niego a convertirme en un anciano a merced de los caprichos de la resignación. Las ilusiones son tan nutritivas que lo alimentan a uno y alcanzan para alimentarse a sí mismas. Cada día nace una nueva, como los renuevos de la flor del verano, y lo que mantiene vivo a un hombre no es el buen suceso de sus propósitos, sino la mano dorada con que los acaricia. Los sueños verdaderos resisten en silencio, y hasta pueden esperar durante años, pero jamás se desvanecen. Yo siembro cada día la semilla de mis sueños. Recién llegado a este pueblo oí en un estanquillo el canto de un músico callejero que decía que sin utopías la vida no sería más que un largo ensayo para la muerte. Lo importante no es que el sueño se cumpla ni que la esperanza se haga realidad, sino las ilusiones que uno va sembrando a medida que pasan los días. Lo excitante es el anhelo que te alienta, no el lugar al que llegas ni la cumbre que coronas, y eso lo saben muy bien los peregrinos que van cada año, con la esperanza restaurada, a mendigar un milagro en el santuario del Cristo de la Villa de San Benito Abad. Los paralíticos ponen muletas de oro al pie de la imagen, los ciegos le regalan ojos de oro, los mudos le cuelgan lenguas de oro y en alguna romería un amante burlado le dejó de recuerdo un corazón de oro traspasado por una flecha de zafiros y con unas gotas de sangre de rubí.

Las fiebres infecciosas le emponzoñaron el oído a mi mujer y ha empezado a quedarse sorda. Se ha visto precisada a cancelar la partida de póquer de cada noche, que era el último contacto que le quedaba con el mundo exterior, puesto que había llegado al extremo de ponerse a llorar, enojada consigo misma, como si ella tuviera la culpa, porque no estaba oyendo casi nada de lo que decían sus cofrades, se perdía los cotilleos más sabrosos, tenía que reírse a la fuerza de chistes que no había entendido y, como si fuera poco, el otro día, después de la misa dominical en el baño, el padre Agudelo le dijo maleducada porque mira para otra parte cuando le están hablando. La gente no sabe que los sordos miran siempre para el lado contrario, como si lanzaran una sonda en busca del lugar de donde vienen las palabras, que es el mismo lugar por donde sopla el viento.

La sordera ha terminado de aislarla por completo en los linderos del baño y cada día recibe menos visitantes. Yo le digo, para levantarle el ánimo con una broma, que ahora somos sordos pero también tenemos una ceguera sentimental: hemos perdido de vista a tantos seres entrañables que se mecen borrosos en las ramas de la memoria. «Salomón Behaine no ha vuelto por aquí», me dice ella. «Y la señora América ni más». Jacinto Negrete era el único que seguía llegando puntual, los viernes a la una de la tarde, con su cinturón de maromero. «Me gusta estar sola», dice, «mientras mis amigos estén conmigo».

Ya descubrimos, sin embargo, que esa vida de convento a que nos ha condenado nuestra sordera también tiene sus ventajas. Los amigos se desaparecen, pero mi mujer y yo hemos terminado, al cabo de la vejez, por encontrarnos a nosotros mismos. La compañía mutua, que cada día es más intensa, nos ha permitido desarrollar un lenguaje personal y cotidiano, un código de señales secretas, una especie de telegrafía de ademanes que antes no teníamos y que sólo nosotros dos sabemos traducir. Hace dos noches, cuando las cigarras empezaban a chillar, se puso animosa y me pidió que la acompañara a dar una vuelta por el patio lleno de luciérnagas. Cuando salimos al cielo abierto, sentí que una vaharada acogedora me acarició la calva. Comenzaba a caer en ese momento una llovizna rápida y menuda. La tierra, retostada aún por el sol del mediodía, bebía ansiosa el agua fresca de la lluvia y tenía el mismo olor de las sábanas limpias. Di media vuelta para regresar al baño.

—Quédate —me dijo, apretándome el brazo—. Quiero mojarme en la lluvia, como aquella vez de la mula.

Yo no había advertido que la sordera le estimula los otros sentidos. Abrió los ollares, con un jadeo anhelante, apuntó la nariz al jardín y se tragó de un golpe todas las fragancias que volaban en la sombra. Caminamos sin prisa por el sendero de piedras que conduce al palo de mango en que Jacinto Negrete amarraba su caballo en aquellos tiempos.

—Huele a hojas de naranjo —le dije.

—No —me corrigió ella—. Huele a jazmines.

Luego se detuvo un instante, hizo girar la cabeza en el aire recién lavado y dejó que el olfato navegara como la vela de un barco entre los aromas de la noche.

—Huele a jazmines y limoneros —agregó, con el tono maravillado de quien está haciendo un hallazgo.

Reanudamos la marcha hacia el cobertizo de la mata de uvas. Me puso una mano en el hombro.

—Yo lo sé —me dijo—, porque el olor del jazmín es dulzón y el del limón es ácido, pero también amable. La vida es así, agria y dulce al mismo tiempo.

La miré a la cara y supuse que se estaba poniendo melancólica. Vi un rayo que le iluminaba los ojos. No estaba triste. Estaba sonriendo.

—No puedo creer que el mundo todavía huela a esto —me dice—. A unos la vida les entra por la vista y a otros por el oído. A mí me entra por la nariz.

Entonces le acaricio el pelo blanco salpicado de lluvia. Es la primera vez que María sonríe con ímpetu desde el día en que el doctor Lepesqueur le dijo que el reumatismo la estaba dejando sorda.

—Sé que me estoy muriendo —me dice—, pero tú no te imaginas lo feliz que soy esta noche.

El mundo parece imaginario cuando queda envuelto en la gasa de un aguacero nocturno. Las figuras se desdibujan a mi alrededor. Tengo la impresión de que no existe nada de lo que me circunda, ni la acacia emparamada, ni los olores de la noche, ni la cigarra que chilla con más ahínco, ni siquiera mi mujer. María no existe ni ha existido nunca. María es un sueño que yo tengo.

9

EL FINAL

Mi madre cayó en cama el viernes 16 de diciembre, mientras recogía en el baño los platos de su propio desayuno, y ya no se pudo levantar de nuevo. Se fue hundiendo en una agonía sin perturbaciones ni angustias, y en una forma tan plácida que cualquiera podía pensar, como ya dije, que estaba dormida. El ataque definitivo al corazón le sobrevino una semana después, el viernes siguiente, en el momento preciso en que el compadre Jacinto Negrete se bajaba del caballo. Entre una fecha y la otra, no obstante, tuvo sus ratos de lucidez en los que conversaba animosa, daba instrucciones para la cena de nochebuena y le sobraban arrestos para embromar a mi padre diciéndole que no se hiciera muchas ilusiones porque las Abdala viven más de cien años, pero no volvió a comer alimentos sólidos sino esencia de azahares con miel y papilla de berenjena.

El domingo 18 mis hermanas aprovecharon su mejoría y le organizaron a las volandas una pequeña velada de Navidad. Mi padre, fiel a su optimismo irremediable, creyó detectar en el renovado entusiasmo de su mujer un anuncio de salvación y se dispuso a levantar el pesebre, como lo hacía cada diciembre, con una fantasía desenfrenada. Simuló las colinas de Belén con retazos de papel encerado a los que salpicaba con picaduras de la hierba del patio. Un espejo del baño, que se había roto en septiembre, sirvió de laguna para que vivieran en paz, más allá de las leyes de la naturaleza, tres gansos de plástico y una jirafa con las pestañas rizadas que flotaba sobre el agua de vidrio. La escena tenía esa desmesura que sólo se le permite a la poesía: los gansos eran más grandes que la jirafa. Un sobrecama celeste, que mis hermanas habían despedazado con sus correndillas de alboroto por la casa, se convirtió al conjuro de la magia en el manto de la Virgen María. Era tal el fervor de mi padre que volvió a cantar los villancicos en árabe de su juventud y no reparó ni siquiera en los anacronismos más conmovedores: un aeroplano japonés de cuerda que me había traído el Niño Dios apareció al lado del buey y la mula del establo.

—Deberías darte un viajecito por Zahle —le insinuó Yamile, al verlo tan alegre.

—¿A qué vuelvo? —preguntó él—. ¿A comprobar que mis amigos están muertos, que construyeron un edificio en el olivar de mi madre o que la novia de la edad temprana no es tan bella como yo me la imaginaba, que está gorda y tiene ocho hijos?

«Cada día se parece más a un crucigrama», pensó mi madre desde la cama, oyéndolo hablar, pero se aguantó las ganas de decírselo.

—Caramba —rezongó, en cambio, con asombro—. Nunca me habías dicho que dejaste por allá una novia de la juventud.

Mi padre celebró con alborozo aquel arrebato de celos retrasados.

—Todos tenemos una novia a los quince años —dijo.

—Tu padre tiene razón —dijo ella, poniéndose seria—. Yo tampoco volvería si me quedara vida.

Yamile insistió sin muchos ímpetus.

—Nunca en tu vida hagas eso —dijo el padre, con una sombra de tormento en la mirada—. No confrontes la poesía de tus recuerdos con la realidad del mundo, porque siempre pierde la poesía.

Se puso de pie y alcanzó una galleta esponjosa rellena de garbanzo. Suspiró con fervor y entrecerró los ojos.

—Zahle no existe ya —su voz era apagada, como si hablara consigo mismo—. Zahle son los restos que me quedan de una ensoñación.

La noche antes de su muerte, en los desvaríos de la fiebre, mi madre creyó ver a Dios, pero en realidad era la luz de la lámpara del baño que se colaba por la puerta entreabierta. El viernes las mujeres piadosas del pueblo, a cuya cabeza estaba Mayito Padilla, sin una sola gota de maquillaje, ni siquiera polvo de rubor en las mejillas, compungida y cerrada de un luto negro, porque el blanco sólo se acostumbra en San Bernardo del Viento cuando el muerto es un niño, llegaron a la hora de las plegarias y se pusieron a entonar sus oficios de difuntos con un silabeo idéntico al que tenía la lluvia en los nuevos techos de zinc que se estaban instalando en las casas del pueblo, en remplazo de los viejos caballetes de palma amarga que devoró el incendio. Recomendaron a Dios el alma de mi madre, y cuando acabaron de rezar sus letanías y latines de cuerpo presente la encapillaron con el vestidito de tafetán celeste que trajo puesto el día que llegó de su tierra. Luego cubrieron el cadáver con el sudario de una sábana blanca que tenía sus iniciales, MA de A, en un monograma de filamentos dorados.

—¿Y ahora dónde encuentro yo un calzoncillo limpio? —se alarmó mi padre, que se estaba cambiando de ropa en su propio baño, y sólo entonces comprendió que la muerte también consiste en el desbarajuste de las pequeñas cosas cotidianas.

El carpintero Murillo y su hijo Baltazar trajeron el féretro que olía a aserrín fresco, con cuatro manijas doradas y un corazón de gasas desleídas en el costado. En el tumulto que se formó en la calle, el cabo Herrán y el policía Cárcamo hacían el esfuerzo descomunal de organizar el desfile funerario con la autoridad delezable que imponían sus revólveres pintados con tiza, pero fueron desbordados por la multitud de ahijados y comadres que bajaban del monte y se dirigían a mi casa por las cuatro costuras de San Bernardo del Viento. En la otra esquina, frente a la alcaldía, entre empellones de vendedores de cerveza helada, el poeta Faraón Doria, un trovador andariego, enorme y ancho como un armario, que alambicaba aguardiente clandestino y repartía en las plazas de mercado las hojas volantes con sus romanceros de alegrías y calamidades, estaba recitando a gritos las décimas que había compuesto para la ocasión. Eran unos versos interminables en los que evocaba la noche aquella en que la turca de ojos grises se enfrentó a los truhanes armados que perseguían a la santa. El único que al fin logró ponerle orden a la marea humana fue el general Cristobalino Cedeño, ataviado con una gorra nueva de papel periódico, repartiendo a discreción los mandobles de su espada de plástico. En la refriega, un borracho amanecido le arrancó las charreteras de bisutería y le propinó un botellazo que estuvo a punto de sacarle el otro ojo. El borracho era Tiburcio Segura, que se pasaba la vida narrando las hazañas bélicas que cumplió en los valles y colinas de Corea, peleando contra los comunistas, pero nadie recuerda que alguna vez hubiera terminado de relatar su epopeya, porque a mitad de la odisea gloriosa se quedaba dormido en los andenes, y entonces su hijo Tiburcito, que lo seguía a todas partes sin musitar palabra, se lo echaba al hombro y lo llevaba a reposar las melopeas marciales en el rancho.

La torrentera insurrecta hizo un alto en el tropelín de la calle para darle paso al boticario Benito, que ya no se movía por sus propios medios ni podía hablar, pero la trombosis también le había enseñado la buena costumbre de escuchar con atención a los demás, y ahora miraba a la gente con el mismo cuidado con que miran los perros cuando están sentados, inclinando la cabeza. Tres hombres lo llevaban en una hamaca a manera de angarilla. En ese instante se hizo el silencio. Mi padre, el doctor Lepesqueur, el gallero Behaine y el profesor Canabal cargaban el cajón mortuorio en los hombros y aparecieron en la puerta del patio. Detrás de ellos, el padre Agudelo, amnésico y casi ciego, engalanado con los atuendos purpúreos que guardaba para los entierros, batía el humo del incensario contra el aire diáfano del mediodía de diciembre. El historiador Sixto Manuel Torres, que llevaba puesto un traje de lino blanco tan almidonado y crujiente que parecía de cristal, se acercó a mi padre y arrimó el hombro para sustituirlo en el transporte del ataúd.

—Dios se lo pague —dijo mi padre, a sabiendas de que ayudar a cargarlo en el último viaje es la más seria demostración de respeto que un hombre puede hacerle a la memoria del difunto.

El dentista Buelvas, que había dejado sus ocurrencias en descanso, y con un mohín de sufrimiento genuino en la cara, vio con desasosiego que el cadáver quedaba ligeramente ladeado, porque el profesor era dos palmos más alto que el tinterillo. Se lo dijo con una gravedad impropia de él a la señora América, que desfilaba a su derecha, oculta tras un velo negro por la vergüenza que aún le provocaba la muerte del hombre que tocaba el violín.

Nemesio, que ese mismo día decretó una semana de duelo a puerta atrancada en el salón de billares, sintió que el corazón se le arrugaba de ternura al advertir entre el tumulto a las dos últimas meretrices en uso de buen retiro que todavía quedaban de los tiempos de la casa de camas de Angermina. Una de ellas era la Macarrona, que caminaba contrita del brazo de su legítimo esposo, rodeada por la suegra y tres hijos. Cerraban aquel séquito de dolientes el fantasma del pirata sin cabeza, con la camisa de volantes en forma de lechuguilla acabada de lavar, y el espíritu del Terry, con su gorra tachonada de estrellas y el uniforme de beisbolista que mi madre le había regalado. El único que se apercibió de su presencia fue mi padre, y los saludó con un leve ademán de la mano, porque ya se sabe que los poetas y los niños son los únicos que pueden ver a los muertos y hablar con ellos. Entrambos le devolvieron el saludo.

Cuando la comitiva fúnebre pasaba por el colegio de las monjas, en cuyo frente languidecía el algarrobo que lloraba, mi padre oyó, nítida y fuerte, como si un trueno repentino se hubiera desgajado en el verano, una aguda voz de mujer que provenía de algún lugar del aire, entre los árboles y el cielo. La reconoció en seguida porque era la misma voz de cornetín que le había hablado al tullido Morelos en la luz de los relámpagos de la plaza y la misma voz que decía que la tierra es del que la trabaja y la misma voz que decía que la comida es del que tiene hambre y la misma voz que decía que poseer bien es poseer con justicia. Yo también la oí.

—Que te vaya bien, turca buena —dijo la voz.

—¿La oyó? —le preguntó mi padre al médico.

—¿Oír qué? —dijo él.

—Nada —respondió—. Locuras mías.

El señor Lamparita, que ahora andaba más desarrapado que en los días aciagos del incendio, esperó el cortejo en la puerta del cementerio. En prueba de su pena llevaba en las manos un puñado de magnolias blancas y, sin quitarse el sombrero de pobre, descolorido por el sol y las lluvias, le dio un abrazo a mi padre y se puso a llorar en su hombro.

—Mi perro y yo —le dijo, gimoteando— venimos a darle compañía.

El animal hociqueó el fondillo de su dueño y acezó con anhelo para que notaran su presencia. Después el señor Lamparita puso las flores sobre el catafalco y se hicieron a un lado, él y su perro, para que pasara el gentío. «Así debería ser la vida», pensó mi padre, viéndolos alejarse. «Ese hombre no posee más nada que el perro, una camisa deshilachada y un sombrero cutroso para protegerse del mundo. Los dos comen cuando pueden, duermen en el suelo, andan siempre juntos y son felices. No tienen libros ni sobresaltos y esperan cada día que llegue la hora del amanecer. Uno es libre de verdad, como Lamparita, cuando cancela sus ambiciones, se deshace de sus propósitos y empieza a dejar que la vida fluya por su cuenta, como la baba que le chorrea al perro».

Los responsos del padre Agudelo sacaron al poeta de sus cavilaciones. «Dale, Señor, el descanso eterno, y brille para ella la luz perpetua». Después el cura canturreó unos salmos. El señor Lamparita, que había pedido para sí la humilde tarea del sepulturero, en vista de que no tuvo dinero para la ponina que le correspondía en la colecta popular que se hizo con el fin de pagar los cartelones callejeros que invitaban al sepelio, echó agua de una regadera de hojalata para ablandar la costra del suelo y mitigar la impiedad del verano. Después siguió cavando con una pala herrumbrosa que no tenía filo. El doctor Lepesqueur, a su propio riesgo, se encaramó en la tumba del viejo Abdala, que quedaba al lado, y de pie sobre aquella lápida de letras doradas que habían puesto los músicos, se largó a hablar con una entonación de discurso solemne y un acento dolido y trepidante.

—Si aquí están hoy todos sus amigos, aunque no quepan —vociferó—, y si la luz del sol es blanca y no opaca; si en lugar de la lluvia melancólica nos acompaña este alborozado viento de verano que canta entre la arboleda; si estamos oyendo el rumor del río y el primer aliento que sopla del mar; si sus ahijados no vinieron vestidos con ropones negros, sino con camisetas de colores; si están aquí entreveradas las mujeres de vida liviana con las señoras pudorosas, los harapientos y los hacendados, los locos y los cuerdos de este pueblo, los ladrones y los honorables, y los campesinos sin tierra; si la flor del verano que ella regaba todas las mañanas seguirá creciendo en el patio de su casa; si Lamparita ha podido sacar fuerzas de su tuberculosis para abrirle el último refugio en este suelo de aluminio; si aquí están el poeta y sus hijas velando armas al pie de su memoria, y si las gentes de San Bernardo del Viento no podrán olvidarla mientras vivan, entonces...

El doctor interrumpió su panegírico porque tenía los ojos aguados y se le quebró la voz. «¿Estará borracho?», pensó el boticario, mirándolo con la cabeza ladeada.

—Entonces —repitió el doctor—, entonces, muerte, ¿dónde está tu victoria?

Iba a proseguir con la perorata, pero estuvo a punto de venirse a tierra, arrastrado por el sobrepeso de sus emociones. Mi padre le tendió la mano para ayudarlo a bajar. «Está borracho», se dijo el boticario, en confirmación de sus sospechas.

La luz del mediodía relumbraba tanto que el sol hacía brillar las hojas de los árboles, como si las hubieran pintado, y el cascote de las piedras sobre las tumbas. Las ramas reflejaban en el piso grandes manchas de sombra que servían a los concurrentes para guarecerse de la canícula. El señor Lamparita, sudoroso y pálido, había terminado de escarbar una fosa profunda y ahora bajaban el cuerpo de mi madre en manos del compadrerío. Mi padre arrojó en la tierra removida un anturio negro, que según los poetas es la flor que compromete el recuerdo eterno y el símbolo del amor que sobrevive a la muerte y el olvido, y se inclinó sobre el cadáver. Recordó de súbito, como si un rayo luminoso le hubiera entrado en la cabeza, las palabras de un verso de Guillermo Valencia que había leído en los tiempos de su juventud, recién desempacado en San Bernardo del Viento, pero que nunca pudo entender a cabalidad, se le había extraviado en las telarañas de la vejez y apenas ahora venía a descifrarlo letra a letra. De rodillas, y con una mano apoyada en el borde de la sepultura, con la otra acarició por última vez la cara de su mujer, la besó en la frente con un roce tenue y le susurró al oído, para que no lo oyera nadie más que ella:

—Tú sólo morirás cuando yo muera.

Sintió unas palmadas en la espalda. Era el doctor Lepesqueur, ya recompuesto, que estaba junto a él, dándole ánimo.

—Gracias, caudillo —le dijo mi padre— en nombre de María. Pero me parece que la frase final del discurso ya la había dicho San Pablo.

—Ah, caramba —exclamó el padre Agudelo, que los oía distraído—. Y yo que pensaba que usted era ateo.

—Ante la muerte —contestó el doctor— todos somos creyentes. O si nos agarra una tormenta en la mitad del mar.

—No sea majadero —lo regañó el padre—. Un día de estos usted tendrá que demostrarme que Dios no existe.

—La carga de la prueba corre por su cuenta —sonrió el doctor—. Pruébeme usted que sí existe.

—Ay, mijito —exclamó el padre—. Si yo pudiera demostrar la existencia de Dios, no estaría de cura en este pueblo.

—Usted sería Papa —se burló el médico.

—Más que eso —insistió el anciano—. El verdadero Dios sería yo.

Mi padre, que los oía, pensó: «Yo sí creo en Dios porque creo en la vida».

—Nadie entiende a los franceses —murmuró el cura, recogiendo la cadena del incensario. La brisa le vapuleaba los ropajes.

De regreso a casa, mientras desandaba el camino real del cementerio, mi padre encontró al nieto adulterino de Venturolli, el mismo que había arrojado al río las palomas muertas y era palurdo de nacimiento, que lloraba a moco tendido bajo la sombra de un almendro. Se sintió desgarrado porque le pareció que también lloraba por la muerte de mi madre, ya que a veces le daba comida y una muda de ropa vieja cuando lo veía desnudo por la calle, y lo defendía de los muchachos traviesos que le tiraban piedras o le acariciaban con malicia la joroba peluda. Pero el idiota le aclaró, antes bien, que lloraba porque ese día había logrado darle alcance al bus que venía persiguiendo desde que era un niño.

—¿Y a qué me dedico ahora? —le preguntó el idiota, con un tartamudeo sin esperanza.

«Todas las ilusiones de la gente se están muriendo juntas», pensó mi padre.

—Ahora serás libre y feliz —le dijo—, porque acabas de derrotar tus ambiciones.

El idiota lo miró con una cara de inocencia, no entendió nada y creyó que ese viejo sin pelo se estaba volviendo loco.

Mis hermanas, sentadas en el sofá del baño, recibían el pésame de los visitantes atrasados y repartían café. Mi padre los abrazó a todos, uno por uno, y dijo que quería estar solo. En el jardín vio, patasarriba, el cuerpo de la única oropéndola que le quedaba, que había muerto de vieja a la misma hora en que enterraban a mi madre. La parra, en cambio, estaba cuajada de uvas y de hojas jugosas para la comida. No había retoñado todavía la cosecha de mangos. De las buganvilias se desprendían las últimas flores de ese verano y caían al piso, sobre el arriate reseco. Calculó que eran más de las seis de la tarde por el color amarillo del sol de los venados, había bajado el calor y las primeras brisas de la noche empezaban a correr en el patio. «Llegó la fresca de diciembre», pensó, poniendo la cara contra el viento. Oyó el canto de los grillos. Había un fogonazo violeta en el horizonte. «Están quemando monte para la cosecha», se dijo.

Se echó a yacer sobre el camastro mullido de hojas y flores. Miró al cielo y vio otra vez la misma nube en forma de caballo que veía en sus sueños desde el día en que mi madre comenzó a extinguirse.

Ahora soy de aquí. Esta es mi tierra y esta es mi vida. La vida es la mayor de todas las pasiones. Mi compadre Shakespeare decía que la vida es como un círculo en el agua, que de tanto agrandarse se va perdiendo en la nada.

Mi padre había creído a lo largo de los años que la vejez comienza cuando a uno se le caen las ilusiones de la cabeza, a esa edad en que llega la hora de convertir las experiencias en recuerdos, porque entonces los recuerdos se vuelven más piadosos que las esperanzas y acucian menos.

Yo estaba equivocado. La verdadera vejez empieza cuando se muere la mujer de uno. La vejez es la soledad y hoy empecé a ponerme viejo. Estoy solo de nuevo, solo como al principio.

Se estaban encendiendo ya los bombillos del alumbrado público y zumbaban los enjambres de mosquitos. «Abre el ojo, Abraham», se dijo, «porque el corazón te está haciendo trampa». Se desabotonó la cotona sin cuello que su mujer le había cosido a mano, hacía mucho tiempo, cuando dormían abrazados en el baño y él decía que se lo estaba comiendo el frío. Recogió un manojo de hojas y las puso contra el tronco del palo de mango, para hacerse almohada, y acomodó la cabeza.

¿Solo? ¿Solo como al principio? Tengo tres hijas y más de doscientos ahijados. Soy compadre de medio mundo y en cada casa de este pueblo hay un plato tapado que me espera por si me llega a dar hambre. La gente me quiere y me pide consejo para casarse o para escoger el nombre de sus hijos. Tengo una casa y una cama para caerme muerto. Yo no estoy solo.

Mató un mosquito gordo de un manotazo en la frente y le quedó una huella de sangre sobre la ceja encanecida. Vio en el centro del cielo los primeros luceros de la constelación del mito de Acuario, con el chorro de agua a los pies. «La de abajo es Andrómeda. No más aparece a la hora del crepúsculo». Contó veintisiete estrellas. Sintió en la cara el aroma agrio de los tamarindos florecidos. Estiró el brazo y palpó la tierra acogedora bajo la hierba.

Tierra bendita que me ha dado de comer y ahora cubre a mis muertos. Este es mi cielo y esta es mi luz. Este es mi palo de mango y aquel es mi tamarindo. Y este dolor es mi dolor. Quién se iba a imaginar, hace ochenta años, cuando mi madre me parió, que este pueblo perdido en los remiendos del planeta era el nido que a mí me correspondía en el reparto del mundo.

La casa estaba en silencio y a oscuras. Vio, entre las sombras, el contorno del baño, que desde entonces estaría cerrado a calicanto para siempre, por orden suya. A la distancia saludó a su mujer, como si ella lo estuviera mirando, y sintió que la melancolía le daba sueño y el pesar lo volvía sereno. «El cielo es infinito, pero más infinita es la tristeza, y qué corto es el hilo de la vida». Le vinieron ganas de tararear en árabe la balada aquella del hombre solitario que ya no tiene compañera, pero lo que le salió a la boca, como la cosa más natural de la vida, fue la melodía del porro fiestero que había oído tantas veces en la rueda del fandango y en las alboradas atronadoras de las bandas de músicos:

Por el camino de Manguelito
viene mi compadre Roque Guzmán,
sobre su caballo que es blanco y arisco
y de la alegría quiere relinchar.

Se detuvo a mitad de la canción. La primera gota de rocío le cayó en los labios, y sabía al brebaje de azúcar con toronjil que mi madre le preparaba para que no soñara más con la nube del caballo negro. Antes de quedarse dormido recordó que tenía que darles instrucciones a las hijas para que, cuando le llegara su hora, lo sepultaran dentro de la misma tumba de su mujer. «Hasta que ni la muerte nos separe», se dijo. «El tiempo se ha cumplido y mañana será otro día». Después se quedó profundo, como un niño, con las manos cruzadas en el pecho. Lo que sigue a continuación es la noche.

ÍNDICE